儒学与文明（第三辑）

CONFUCIANISM AND CIVILIZATION

河南省儒学文化促进会 主办

王廷信 刘太恒 主编

中原出版传媒集团
中原传媒股份公司

大象出版社
·郑州·

图书在版编目（CIP）数据

儒学与文明. 第三辑 / 王廷信，刘太恒主编. — 郑州：大象出版社，2021.3
ISBN 978-7-5711-0813-7

Ⅰ. ①儒… Ⅱ. ①王… ②刘… Ⅲ. ①儒家-传统文化-研究 Ⅳ. ①B222.05

中国版本图书馆 CIP 数据核字（2020）第 236083 号

儒学与文明　第三辑
王廷信　刘太恒　主编

出 版 人	汪林中	
刊名题字	王刘纯	
责任编辑	杨天敬	徐清琪
责任校对	毛　路	张迎娟
书籍设计	王莉娟	
英文译校	周聪贤	杨柳梅

出版发行　大象出版社（郑州市郑东新区祥盛街27号　邮政编码450016）
　　　　　发行科　0371-63863551　总编室　0371-65597936

网　　址	www.daxiang.cn	
印　　刷	洛阳和众印刷有限公司	
经　　销	各地新华书店经销	
开　　本	720 mm×1020 mm　1/16	
印　　张	14	
字　　数	216 千字	
版　　次	2021 年 3 月第 1 版　2021 年 3 月第 1 次印刷	
定　　价	58.00 元	

若发现印、装质量问题，影响阅读，请与承印厂联系调换。
印厂地址　洛阳市高新区丰华路三号
邮政编码　471003　　　　电话　0379-64606268

编 委 会

顾 问（以姓氏笔画为序）

王立群　王宏范　张德广　骆承烈　傅佩荣

编委会主任

王廷信　徐东彬

编委会副主任（除常务外，以姓氏笔画为序）

周桂祥（常务）　于咏华　王刘纯

冯迺郁　刘太恒　杜海洋　陈文魁

编委会委员（以姓氏笔画为序）

马守国　王向东　宁飞虎　冷天吉

李若夫　辛世俊　周海涛　郑国强

赵志浩　鹿　林　魏　涛　魏长领

主 编

王廷信　刘太恒

执行主编

鹿　林

副主编

李若夫　魏　涛

编辑部主任

鹿　林（兼）

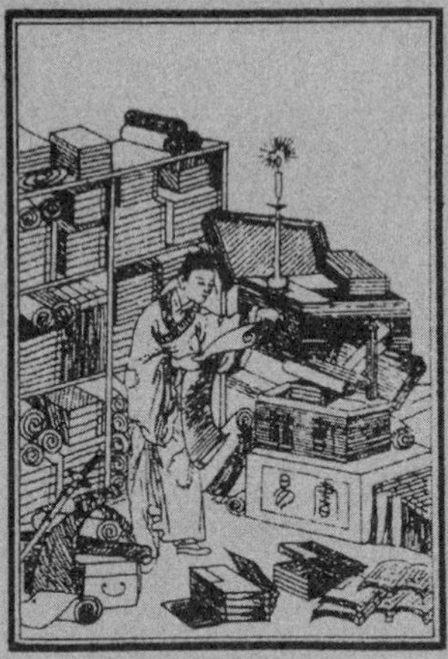

目　录

冯友兰研究

冯友兰先生《一种人生观》浅析 .... 刘太恒 /003

道德觉解与人生境界
　　——试析冯友兰对儒家道德形而上学的重构 .... 鹿　林 /020

冯友兰对人生问题的思考及其人生境界论 .... 关　心 /034

宋明新儒学研究

心与思：王阳明致良知中知识论问题 .... 单　纯 /045

王阳明书院教育思想新论 .... 简　东 /059

二程格物穷理蕴含的知识与道德关系问题 .... 冷天吉 /075

二程理学对中原文化的价值提升及其意义 .... 魏　涛 /085

二程天理视域中的公平与正义 .... 冷万豪 /096

横渠"两由""两合"再诠释
　　——"由""合"概念的提取 .... 席中亚 /105

德政研究

《论语》中孔子言德及其德治理想 .... 袁永飞 /123

鲁国世卿制与孔子的政治活动 .... 代　云 /136

何谓"孔颜之乐"
　　——基于"生活向度"与"境界向度"之探讨 ········· 邵　宇　余贵奇 /143

刑名思想研究
荀子"正刑名"思想浅析 ···························· 孙志强 /155

周易研究
随时变易以从道
　　——论《周易程氏传》的格局与思路 ················· 王若言 /171

医道研究
《黄帝内经》推类方法的逻辑呈现与建构 ················· 孙可兴 /187
从中医文化的核心价值论儒家仁学的崇高境界 ············· 贾成祥 /206

Contents

003　A Brief Analysis of Feng Youlan's *A View of Life* / LIU Taiheng

020　Moral Awareness and Life State / LU Lin

034　Feng Youlan's Thoughts on Life and His Theory of Life State / GUAN Xin

045　Mind and Reflection: Wang Yangming's Theory of Knowledge in the Extension of the Intuitive Knowledge / SHAN Chun

059　Reinterpretation of Wang Yangming's Educational Ideology of Academy / JIAN Dong

075　Relationship between Knowledge and Morality in the Two Cheng Masters' Investigation of Things and Fathoming of Principles / LENG Tianji

085　On Value Improvement and Significance of the Central Plains Culture Based on the Two Cheng Masters' Principles / WEI Tao

096　Fairness and Justice from the Viewpoint of the Two Cheng Masters' Heavenly Principles / LENG Wanhao

105　An Reinterpretation of "Bis-Via" and "Bis-Synthesis" of Heng Qu / XI Zhongya

123　Confucius' Views of Virtue and Ideal of Rule of Virtue in *The Analects* / YUAN Yongfei

136　The Shiqing System of Lu and Confucius' Political Activities / DAI Yun

143　The Meaning of Confucius and Yan Hui's Cheerfulness / SHAO Yu, YU Guiqi

155　A Brief Analysis of Xun Zi's Thought of "the Proper Name of Punishment" / SUN Zhiqiang

171　Changes with Shi to Follow the Way / WANG Ruoyan

187　Logical Presentation and Construction of Analogy in *The Yellow Emperor's Classic of Intenal Medicine* / SUN Kexing

206　On the Noble State of Confucian Benevolence from the Core Values of Traditional Chinese Medicine Culture / JIA Chengxiang

冯友兰研究

冯友兰先生《一种人生观》浅析

刘太恒

(郑州大学　公共管理学院　河南省育英素质教育研究院,河南　郑州　450001)

摘　要:《一种人生观》是冯友兰先生讨论人生问题的著作之一。全书分十二章。第二章至第十章内容可归纳为五个方面:一是说明了人生之真相与人生之目的;二是指出了人生的构成要素和动力;三是分析了"人欲"与人性的善恶问题;四是揭示了理智、诗、宗教对于人生之功用;五是提出了减少失望与苦痛的方法。深入研究、了解、认识人生问题,须从研究、了解、认识人的特性和人类所面对的共同问题入手。人的特性:人具有超越于动物之上的、高度发达的大脑;人能够将自身对象化;人生活在两个世界;人追求的最高目标是自由和无限。人所面对的共同问题:人与自然的关系问题;个体与群体的关系问题;个体与个体之间的关系问题;人的物质生活与精神生活的关系问题。思想家从事的各种研究,提出的各种思想,都是围绕着这些问题展开的,都是在探讨正确认识和解决这些问题的思路和方法。

关键词:冯友兰;人生观;人生目的;人欲

《一种人生观》[①]一书,是冯友兰先生专门讨论人生问题的著作之一。全书共分十二章。第二章至第十章所讲的内容,可以归纳为五个方面:一是说明了人生之真相与人生之目的;二是指出了人生的构成要素和动力;三是分析了"人欲"与人性的善恶问题;四是揭示了理智、诗、宗教对于人生之功用;五是提出了减少失望与苦痛

作者简介:刘太恒(1950—　),男,河南沈丘人,郑州大学公共管理学院原副院长、教授,河南省育英素质教育研究院研究员,河南省儒学文化促进会副会长兼学术委员会主任,郑州中华之源与嵩山文明研究会副会长。

① 冯友兰:《三松堂全集》(第二卷),河南人民出版社2001年版,第1—26页。

的方法。本文仅就这些内容,谈点粗浅看法,以就教于大家。

同时,在笔者看来,要深入研究、了解、认识人生问题,必须首先从研究、了解、认识人的特性和人类所面对的共同问题入手。其实,包括冯先生在内的思想家们所从事的各种研究,所提出的各种思想,都是围绕着这些问题展开的,都是在探讨正确认识和解决这些问题的思路和方法。所以,要分析包括冯先生在内的思想家们的人生理论,首先就应当讨论这些问题。

一、人的特性

对于人的特性,学者们往往从自己所从事的学科出发,从不同的视角进行研究、概括和总结,因而其结论往往不尽相同。在笔者看来,人的特性可以归纳为以下四个方面:

首先,人具有超越于动物之上的、高度发达的大脑。人不仅能够利用自然物,而且能够根据自己的需要改造自然物。具有超越于动物之上的、高度发达的大脑,是人战胜其他物类,具有不同于其他动物的生存方式的物质基础。冯先生在《新原人》一书中曾经这样说道:"人是有觉解底东西,或有较高程度底觉解底东西。"[1]对于"觉解",冯先生解释道:"觉是自觉。人做某事,了解某事是怎么一回事,此是了解,此是解;他于做某事时,自觉其是做某事,此是自觉,此是觉。"[2]并举例说:"例如人吃,禽兽亦吃。同一吃也,但禽兽虽吃而不了解吃是怎样一回事,人则吃而并且了解吃是怎样一回事。人于吃时,自觉他是在吃。禽兽则不过见可吃者,即吃之而已。它于吃时未必自觉它是在吃。"[3]那么,人为什么能有觉解呢?冯先生解释说:"人之所以能有觉解,因为人是有心底。人有心,人的心的要素,用中国哲学家向来用的话说,是'知觉灵明'。"[4]那么,人为什么能有"心"、有"知觉灵明"呢?冯先生指出:"心的存在,必以人的脑子的活动为其基础,这是我们所承认底。……人的脑

---

[1] 冯友兰:《新原人》,《三松堂全集》(第四卷),河南人民出版社2001年版,第472页。
[2] 冯友兰:《新原人》,《三松堂全集》(第四卷),河南人民出版社2001年版,第471—472页。
[3] 冯友兰:《新原人》,《三松堂全集》(第四卷),河南人民出版社2001年版,第472页。
[4] 冯友兰:《新原人》,《三松堂全集》(第四卷),河南人民出版社2001年版,第478页。

子的活动,是人的心的存在的基础。"①这里应当特别指出的是,并不是说人拥有大脑,就会自然而然地具有认识能力、具有知识。而只是说拥有大脑,是人具有认识能力、获得各种知识的基础。在这种基础之上,能否真正具有认识能力、能否真正具有各种知识,关键在于实践和学习。

其次,人能够将自身对象化。因为人具有超越于动物之上的、高度发达的大脑,所以,人具有超越于动物之上的自我意识。其具体表现是:人能够将自身与其他物类区别开来;能够将自身对象化,即能够把自己作为认识和考察的对象,能够对自己的行为进行反思、评估,会因自己的行为错误而感到内疚、后悔;不仅能够认识眼前的世界、当下的自我,而且能够想象、设计、创造出一个未来的理想的世界、未来的理想的自我,并以这个未来的理想的世界、未来的理想的自我,作为生活的目标追求。

再次,人生活在两个世界。因为人能够想象、设计、创造出一个未来的理想的世界、未来的理想的自我,并以这个未来的理想的世界、未来的理想的自我作为生活的目标追求,所以,人实际上是生活在两个世界之中的——既生活在当前的客观物质世界之中,又生活在主观的精神世界之中;既具有丰富多彩的物质生活,又具有丰富多彩的精神生活。也正是因为如此,所以,人也就必然要有两种不同类型的需要,也就必然要面对来自两个世界、两种生活、两种需要的压力。实际上,人们面临的来自精神生活、精神需要方面的压力,并不比来自物质生活、物质需要方面的压力小。特别是当人的物质需要得到了基本满足,物质生活有了一定的保障之后,其精神需要、精神生活方面的压力就会越发凸显出来了。在实际生活中,一些人之所以感到痛苦,甚至会轻生,往往并不是因为缺乏物质生活资料,而往往是因为承受不了来自精神方面的压力,精神崩溃所致。也正是因为人要面对双重压力,所以,人要生活下去,那是需要勇气和强大的支撑力量的。在笔者看来,这种勇气和支撑力量就来自对未来的美好希望,来自信仰。

最后,人追求的最高目标是自由和无限。人尽管具有高度发达的大脑,尽管具有改造客观自然环境的能力,但其寿命、体力、智力都是非常有限的。然而,人们并

---

① 冯友兰:《新原人》,《三松堂全集》(第四卷),河南人民出版社 2001 年版,第 482 页。

不甘心于这种有限的、受着各方面因素制约的生活,而是将自由和无限作为自己追求的终极目标。当然,人们也明白那种不受任何约束的自由和无限在现实生活中是无法达到的,于是,便借助于大脑的想象和创造的能力,通过信仰的形式,来满足自身追求自由和无限的欲望。由此便可以得出这样的结论:人是一种具有信仰的动物。信仰,可以说是人所特有的一种属性,与人类共始终。人的信仰既具有多样性特征,同时又具有时代性特征。

二、人类所面临的共同问题

人类在发展,社会在进步。然而,人类所面对的共同的基本问题从古到今并没有变化。只不过在一定的时代,人所面对的共同的基本问题的某些方面,更加凸显而已。我们可以把古今中外的人们所面对的共同问题,概括为以下四个方面:

其一是人与自然的关系问题。人是大自然长期演化的产物,人们生活所需要的一切都来自自然界,自然界对人的活动具有客观的制约作用。并且,这种制约作用与人类共始终。因此,如何认识自然、如何对待自然、如何处理人和自然的关系,是古今中外的人们所面对的共同的首要问题。人和自然的关系处理得好,人类就可以在大自然的抚育下生存、发展;如果处理得不好,就会招致大自然的无情报复,就会给人类带来无穷的灾难,甚至会造成人类的毁灭。

其二是个体与群体的关系问题。人的存在形式,包括个体和群体。个体和群体相互依赖,不可分割。个体作为群体中的一分子,必然要受群体的约束。群体是由一个个个体组成的,也必然要依赖一个个个体才能存在和发展。因此,如何认识和处理个体与群体的关系,也是古今中外的人们所面对的共同问题。这种关系处理得好,个体和群体都能够在相互促进中共同发展;处理得不好,个体和群体都将不可避免地遭受挫折和损失。

其三是个体与个体之间的关系问题。在实际生活中,具体到某个个体,他不仅要和所在的群体发生关系,同时还要和其他的个体发生关系。如何认识和处理个体与个体的关系,也是古今中外的人们所面对的共同问题。这种关系处理得好,不仅能够促进个体的发展,同时还能够促进群体的和谐与发展;处理得不好,不仅会影响个体的进步,而且也将危及群体的和谐与发展。

其四是人的物质生活与精神生活的关系问题。如前所讲,人既生活在当前的客观物质世界之中,同时又生活在主观的精神世界之中;既拥有丰富多彩的物质生活,又拥有丰富多彩的精神生活。那么,如何认识和处理两种不同类型的需要、两种不同类型生活的关系,也同样是古今中外的人们所面对的共同问题。只有两种需要都得到一定程度的满足,两种生活关系和谐,才能谈得上幸福、健康、美满。如果只追求物质生活需要方面的满足,而忽视精神生活,那就只是像动物一样地活着,而不是真正的人的生活。而如果只注重生理方面的健康,而忽视心理方面的健康,那也只不过是动物一样的健康,而不是真正的人的健康。在实际生活中,有的人一味地追求金钱财富,一味地追求物质享受和感官刺激,从实质上讲,也就是把自己当作动物一样养着罢了。

冯先生提出的人生"四境界说",其实就是以人们对上述问题的不同认识和行为表现为依据的。他在论述处于"自然境界"中的人的行为特征时说:"在此种境界中底人,其行为是顺才或顺习底。此所谓顺才,其意义即是普通所谓率性。……所谓顺习之习,可以是一个人的个人习惯,亦可以是一社会的习俗。"①所谓"顺才"或曰"率性",也就是顺着自身的本性而行动,不顾及自身的行为对他人、社会、环境的影响。所谓"顺习",是指不分善恶"好"和"不好",完全按照个人自身的习惯或者社会的习俗而行动,同样不顾及自身的行为对他人、社会、环境的影响。在论述处于"功利境界"中的人的行为特征时,他说:"在此种境界中底人,其行为是'为利'底。所谓'为利',是为他自己的利。"②完全不顾及他人与社会群体之利。在论述处于"道德境界"中的人的行为特征时,他说:"在此种境界中底人,其行为是'行义'底。"③所谓"行义",也就是"求社会的利"。处于"道德境界"的人已了解人之性中是蕴含有社会性的。离开社会而独立存在的个人,是不存在的。社会是一个全,个人是全的一部分。个人只有在社会中才能生存,也才能够发展。所以,他的行为都是以贡献社会为目的的。在论述处于"天地境界"中的人的行为特征时,他说:"在此种境界中底人,了解于社会的全之外,还有宇宙的全,……人不但是社会的全

---

① 冯友兰:《新原人》,《三松堂全集》(第四卷),河南人民出版社2001年版,第498页。
② 冯友兰:《新原人》,《三松堂全集》(第四卷),河南人民出版社2001年版,第499页。
③ 冯友兰:《新原人》,《三松堂全集》(第四卷),河南人民出版社2001年版,第499页。

的一部分,而并且是宇宙的全的一部分。不但对于社会,人应有贡献;即对于宇宙,人亦应有贡献。"①处于"天地境界"中的人,已经清楚地觉解社会是一个全,是一个整体,宇宙也是一个全,也是一个整体。个人既是"社会的全的一部分",也是"宇宙的全的一部分"。所以,人不但对社会应有贡献,对宇宙也应有贡献。

三、人生之真相与人生之目的

什么是人生之真相呢?冯先生说:"人生之当局者,即是我们人。人生即是我们人之举措设施。'吃饭'是人生;'生小孩'是人生;'招呼朋友'也是人生。艺术家'清风明月的嗜好'是人生;制造家'神工鬼斧的创作'是人生;宗教家'覆地载天的仁爱'也是人生。问人生是人生,讲人生还是人生,这即是人生之真相。……我说:'人生之真相,即是具体的人生。'"②在这里,冯先生明确说明了所谓人生,也就是我们当下的、眼前的日常工作和各种活动。离开我们当下的、眼前的日常工作和各种活动,去寻找人生、讨论人生,就如同我们通常所说的"骑着驴找驴"一样荒唐可笑。因此,我们要想使自己的人生有意义、有价值,就应当尽力做好自己眼前、当下所承担的各种工作,积极组织和参与各种有意义的活动。比如,对于已经退休的老同志来说,热心参与各种研究会、读书会等的工作,积极开展读书、研究、讨论,积极宣传、推广社会主义精神文明建设中的好经验等活动,就是在丰富人生,为人生增光添彩。

对于人生之目的,冯先生首先指出了讨论这一问题时应当注意的事项,以免进入误区。

他说:"若问:'因为什么有这个人生?'对于这个问题,我们也只能说:'人是天然界之一物,人生是天然界之一事。'若要说明其所以,非先把天然界之全体说明不可。"③这里是说,讨论人生问题时,只能将人生看成是既定的、现存的事实,因而只能立足于现实的人生来讨论人生,而不能离开现实的人生去追问为什么会有人生。这是因为,人只不过是自然界中自然形成的无数物种中的一种,人生也不过是自然

---

① 冯友兰:《新原人》,《三松堂全集》(第四卷),河南人民出版社2001年版,第500页。
② 冯友兰:《一种人生观》,《三松堂全集》(第二卷),河南人民出版社2001年版,第5页。
③ 冯友兰:《一种人生观》,《三松堂全集》(第二卷),河南人民出版社2001年版,第6页。

界中所发生的无数事件中的一件。自然界是一个整体,其中的某一物种、某一事件,都只是自然界这一整体的极其微小的有机组成部分。所以,要说明为什么会有人,为什么会有人生,必须对自然界这一整体作出说明。然而,目前人们并没有对自然界这一整体作出说明的知识。因此,冯先生指出:我们的知识既然达不到这种程度,那么对于这个问题只可存而不论。况且现在一般人所急欲知道的也并不是这个问题,而是人生之目的。

他又说:"人生虽是人之举措设施——人为——所构成的,而人生之全体,却是天然界之一件事物。……人生之全体,既是天然界之一件事物,我们即不能说他有什么目的;犹之乎我们不能说山有什么目的,雨有什么目的一样。"[1]这就是说,人生虽然是由人的行为构成的,并且就具体的个体或具体的群体来说,其具体的行为都是有目的、有计划的,但就人生整体来说,它只不过是自然界中之一事物而已,就如同一座大山、一场大雨的形成和存在一样,并没有什么目的可言。所以,冯先生强调:"目的和手段,乃是我们人为的世界之用语,不能用之于天然的世界——另一个世界。天然的世界以及其中的事物,我们只能说他是什么,不能说他为——所为——什么。"[2]在这里,冯先生将"人为的世界"与"天然的世界"作了明确的区分。当然,这种区分是以强调两者的密切联系为基础的。总之,在冯先生看来,人类、人类社会、人生,从整体上看,只不过是自然界中之一事物而已,和自然界中的其他事物一样,遵循着共同的规律。然而,人类、人类社会、人生又有其自身的特性。所以,在论说"天然的世界"与"人为的世界"时,就需要使用不同的用语。比如,目的和手段等用语,就只能用来论说"人为的世界",而不能用来论说"天然的世界"。我们可以谈论人生的目的,但不可以谈论山的目的、雨的目的。冯先生之所以强调这一点,意在否定和批判"目的论"。

那么,人生的目的是什么呢?冯先生认为:"人生之目的就是生。"[3]所以,只能围绕着"生"来讨论人生。在《新原人》一书中,冯先生又说:"人生是有觉解底生活,或有较高程度底觉解底生活。这是人之所以异于禽兽,人生之所以异于别底动

---

[1] 冯友兰:《一种人生观》,《三松堂全集》(第二卷),河南人民出版社2001年版,第6—7页。
[2] 冯友兰:《一种人生观》,《三松堂全集》(第二卷),河南人民出版社2001年版,第7页。
[3] 冯友兰:《一种人生观》,《三松堂全集》(第二卷),河南人民出版社2001年版,第7页。

物的生活者。"①对于人生的意义,冯先生说:"人生亦是一类底事,我们对于这一类底事,亦可以有了解,可以了解它是怎么一回事。我们对于它有了解,它即对于我们有意义,我们对于它底了解愈深愈多,它对于我们底意义,亦即愈丰富。"②这就是说,所谓人生,就是人有觉解底生活;所谓人生的意义,就是人对于人生的了解。

四、人生的构成要素和动力

在说明了人生之真相与人生之目的之后,按照思维的逻辑顺序,冯先生论述了人生的构成要素和动力问题。

他说:"人生之目的是'生','生'之要素是活动。有活即是生,活动停止即是死。"③这就是说,作为人生之目的的"生",是由人的活动构成的。活动既是构成人之"生"的要素,又是区别人的生命存在与否的标志。因此,自由活动对于人生来说是弥足珍贵的。同时,冯先生又说:"此所谓活动,乃依其最广之义;人身体的活动,如穿衣走路等,心里的活动,如思维想象等,皆包括在内。"④与其他动物相比,人的活动具有复杂性、多样性的特征。凡活动皆须有动力,没有动力的活动是不存在的。人的活动自然也不例外。那么,人的活动的原动力是什么呢?冯先生指出,人的"活动之原动力是欲",并对"欲"的内涵作了说明:"此所谓欲,包括现在心理学中所谓冲动及欲望。"⑤"冲动"是一种无意识的、本能的活动或活动倾向。欲望则是在一定知识指导下的活动或活动倾向。冯先生强调:"人皆有欲,皆求满足其欲。种种活动,皆由此起。"⑥人正是因为有欲望、有追求,才有各种各样的活动或活动倾向。而活动的过程和结果,则决定着人的喜怒哀乐,幸福或者痛苦。所以,"欲"自然也就成了人们关注的重要问题。有的人从欲望的满足能够使人得到快乐出发,主张纵欲。例如,《列子·杨朱篇》载:"晏平仲问养生于管夷吾。管夷吾曰:'肆之

---

① 冯友兰:《新原人》,《三松堂全集》(第四卷),河南人民出版社2001年版,第472页。
② 冯友兰:《新原人》,《三松堂全集》(第四卷),河南人民出版社2001年版,第471页。
③ 冯友兰:《一种人生观》,《三松堂全集》(第二卷),河南人民出版社2001年版,第9页。
④ 冯友兰:《一种人生观》,《三松堂全集》(第二卷),河南人民出版社2001年版,第9页。
⑤ 冯友兰:《一种人生观》,《三松堂全集》(第二卷),河南人民出版社2001年版,第9页。
⑥ 冯友兰:《一种人生观》,《三松堂全集》(第二卷),河南人民出版社2001年版,第9页。

而已,勿壅勿阏。'晏平仲曰:'其目奈何?'夷吾曰:'恣耳之所欲听;恣目之所欲视;恣鼻之所欲向;恣口之所欲言;恣体之所欲安;恣意之所欲行。'"很显然,这里所谓的养生,也就是放纵自身之欲。而实际上,放纵自身之欲虽然可得一时之乐,但其最终结果则往往是非常可悲的。有的人从欲望不能得到满足而使人产生痛苦出发,主张灭欲。例如,佛教就是如此。当然,佛教所要灭的欲是有特定的内涵的,即贪欲。佛教将"贪、嗔、痴"并称为"三毒"。因为人的烦恼即源于此。宋代理学家也主张"存天理,灭人欲"。他们所说的应当"灭"的"人欲",也是有其特定的内涵的,即"私欲""贪欲"。实践证明,"私欲""贪欲"膨胀的确是祸害的根源。有的人则从人的需要与社会所能提供的满足人的需要的产品之间不平衡出发,主张节欲。例如,先秦儒家重要思想代表荀子,就主张节欲。他说:"虽为守门,欲不可去,性之具也。虽为天子,欲不可尽。欲虽不可尽,可以近尽也;欲虽不可去,求可节也。"(《荀子·正名》)这是说,欲望是源于人的天然本性的,因而是一种客观必然性的存在。即便是看门人,其欲望也是不可能灭除的。然而,即便是天子,其欲望也是不可能得到全部满足的。欲望虽然不可能得到全部满足,但却可以达到接近于全部满足。欲望虽然不可能灭除,但对于欲望的追求却是可以节制的。那么,在荀子看来用什么来节制人的欲望呢?用礼义法度。他说:"礼起于何也?曰:人生而有欲,欲而不得,则不能无求,求而无度量分界,则不能不争。争则乱,乱则穷。先王恶其乱也,故制礼义以分之,以养人之欲,给人之求。使欲必不穷乎物,物必不屈于欲,两者相持而长,是礼之所起也。"(《荀子·礼论》)这段话包含了以下几层意思:一是指出了对人的欲望进行节制的必要性;二是揭示了礼义法度正是基于对人的欲望的节制、调适的需要建立起来的;三是说明了对于人的欲望进行节制、调适要达到的目标。这种目标就是达到人的欲望与满足人的欲望的物品协调、同步增长。而要实现这种目标,既要对人的欲望进行节制、调适,又必须大力发展生产。显而易见,荀子的观点是很值得借鉴的。

对于这些观点,作为哲学史家的冯先生,不可能没有深入研究。那么,冯先生是如何分析"人欲"的呢?

五、"人欲"与人性的善恶

对于"人欲",冯先生分析道:"假使人之欲望皆能满足而不自相冲突,此人之欲与彼人之欲,也皆能满足而不相冲突,则美满人生,当下即是;更无所谓人生问题,可以发生。但实际上,欲是互相冲突的。不但此人之欲与彼人之欲,常互相冲突,即一人自己之欲,亦常互相冲突。"①在这里,冯先生明确指出了"人欲"的复杂性和矛盾性。在实际生活中,人们彼此之间的欲望往往是相互冲突的,即便是同一个人,其各种欲望之间,也往往是相互冲突的。各种冲突发展的结果,就会导致个体人格的分裂和社会的分裂,从而危及个体的进步和社会的稳定、发展。因而,他强调:"如果要个人人格,不致分裂,社会统一,能以维持,则必须于互相冲突的欲之内,求一个'和'。"②所谓"求和",就是对各种相互矛盾冲突的欲望进行协调。就个体来说,就是对各种欲望作具体分析,将那些急迫的、具有较多实现条件的、合乎当下社会规范的欲望,作为自己的行为目标;而将那些不那么急迫、目前还缺乏实现条件的欲望,暂时放在一边;对于那些损人利己的、违背当下社会规范的"恶欲",则彻底去除。这样既可以避免自身人格的分裂,又能够实现与群体、与他人关系的和谐,从而为自身的发展创造有利条件。就社会来说,就是对社会众多成员的各种欲望进行具体分析,将那些大多数人的、急迫的、有较多实现条件的欲望归纳提取出来,并以此为基础,制定出各种道德规范和各种制度、政策。然后,用这些道德规范和各种制度、政策,约束、限制人们追求欲望满足的思想行为,从而避免社会分裂,使多数之欲得到满足。很显然,冯先生在这里所说的"和",是一种通过各种道德规范和制度、政策的选择、取舍、协调,使多数之欲得到肯定并付诸实践的理想局面或状态。而要达到这种"和"的理想局面或状态,只有遵循"中"的原则和规律。所谓"中",就是不偏,不偏就是正。所以,在这里"中"就是"公正"的意思。也就是说,在制定各种道德规范和制度时,必须遵循"中"即"公正"的原则和规律,才能达到"和"的理想局面或状态,才能实现多数之欲得到满足的目的。

---

① 冯友兰:《一种人生观》,《三松堂全集》(第二卷),河南人民出版社2001年版,第11页。
② 冯友兰:《一种人生观》,《三松堂全集》(第二卷),河南人民出版社2001年版,第11页。

同时，冯先生还将"和"与知识上所谓的"通"联系起来，提出了评判社会制度优劣的标准问题。他指出："道德上所谓'和'，正如知识上所谓'通'。科学上一个道理，若所能释之现象愈多，则愈真"；同样道理，"社会上政治上一种制度，若所能满足之欲愈多，则愈好"①。据此，冯先生明确提出一个"判定一学说或一制度之真伪或好坏"及"好或真之程度"的标准，即"全视他们所得之和或通之大小而定，亦可说是视他们的普遍性之大小而定"②。这显然是一种很有道理的见解。依据这种见解，冯先生还对人性的善恶问题进行了解说。

因为人之欲源于人之性，人之性通过人之欲来表现，所以，对人之性善恶的判定，是与对人之欲善恶的判定联系在一起的。在中国思想发展史上，最先提出人性问题的是儒家创始者孔子。他说："性相近也，习相远也。"（《论语·阳货》）但孔子并没有进行善恶的判定。在孔子之后，先秦儒家重要代表孟子提出了"性善论"，认为人之性中有趋善之欲。先秦儒家另一位重要代表荀子，则提出了"性恶论"，认为人之欲有趋恶的倾向。之后，人性的善恶一直是思想家们争论的一大问题。那么，作为"接着讲"的哲学家、哲学史家的冯先生是如何认识人性的呢？

他说："我以为欲是一个天然的事物，他本来无所谓善恶，他自是那个样子。"③在冯先生看来，人之欲本身是一个天然的事物，如同自然界的山水，无所谓善恶。但是，"后来因为欲之冲突而求和，所求之和，又不能尽包诸欲；于是被包之欲，便幸而被名为善，而被遗落之欲，便不幸而被名为恶了"④。这是说，因为"和"的缘故，才有了善恶之分。凡是包含在"和"之内的欲，名之曰"善"；凡是被排斥在"和"之外的欲，则名之曰"恶"。在宋明理学家那里，善之欲又被称为"天理"，恶之欲则被称为"人欲"。他们强调"天理人欲为根本上相反对"，因而主张"存天理，灭人欲"。针对理学家的这种观点，冯先生指出："我以为除非能到诸欲皆相和合之际，终有遗在和外之欲，因之善恶终不可不分。不过若认天理人欲为根本上相反对，则未必

---

① 冯友兰：《一种人生观》，《三松堂全集》（第二卷），河南人民出版社2001年版，第11页。
② 冯友兰：《一种人生观》，《三松堂全集》（第二卷），河南人民出版社2001年版，第12页。
③ 冯友兰：《一种人生观》，《三松堂全集》（第二卷），河南人民出版社2001年版，第13页。
④ 冯友兰：《一种人生观》，《三松堂全集》（第二卷），河南人民出版社2001年版，第13页。

然。"①这就是说,将"欲"作善恶之分是合乎实际的。而将"天理"与"人欲"("和内之欲"与"和外之欲")从根本上对立起来,固定起来,则是不符合实际的。随着社会的发展和制度的改善,"和"的面会越来越大,"和较大一分,所谓善就添一分,所谓恶就减一分,而人生亦即随之较丰富,较美满一分"②。冯先生的这种认识是合乎实际的,是应当给予肯定的。我们当前之所以要不断深化改革,从根本上说,就是在于不断扩大"和",不断增加善,减少恶,使我们的人生更加美满、幸福。

六、理智、诗、宗教对于人生之功用

前面已经讲到,冯先生认为:人生的目的是"生",生的构成要素是"活动",活动的原动力则是"欲"。所谓人生的目的是"生",是说人生的目的就在于不断改善生活环境,不断提高生活质量。而生活质量的高低,是以幸福度和快乐感为标志的。幸福度和快乐感的提高,则是由欲望满足度的提高决定的。与幸福和快乐对应的是痛苦。既然欲望满足度的提高决定了幸福度和快乐感的提高,那么,欲望满足度的低下则自然决定了人的痛苦。然而,幸福、快乐和痛苦都是一种感受,决定这种感受的因素,既有客观方面的,也有主观方面的。客观方面的因素,是指生活环境的舒适程度,满足欲望需要的生活资料的丰富程度等。主观方面的因素,则是指对于欲望的认识、调节和引导。在本书中,冯先生着重谈了理智、诗、宗教,作为主观方面的因素,对于人生的功用。

首先,冯先生强调,要提高幸福度和快乐感、减少痛苦,就要充分发挥理智的功用。在本书第七章中,他专门讨论了这一问题。前面已经讲到,在冯先生看来,欲望是复杂多样、彼此冲突的。因此,如果任凭欲望自然发展,必然要造成个体人格的分裂和社会的分裂。而要避免这种分裂,就必须在复杂多样、矛盾冲突的"欲"中求"和""通"。而要得到"和""通",必须做到"中"。而在本书第七章中一开始他便强调:"以上所说,是中、和、通之抽象的原理。至于实际上具体的中、和、通,则需理

---

① 冯友兰:《一种人生观》,《三松堂全集》(第二卷),河南人民出版社2001年版,第13页。
② 冯友兰:《一种人生观》,《三松堂全集》(第二卷),河南人民出版社2001年版,第13页。

智之研究,方能得到。"①这里的"理智",具体说来,就是指思维力和意志力。面对复杂多样、矛盾冲突的欲望,人们只有运用自身所特有的思维力进行具体分析,才能够作出判断、选择、取舍,明确"和"的范围和界限,并遵循"中"的原则,建立起各种道德规范和制度,来保证"和"的稳定和落实。同时,根据社会的进步和发展,通过道德规范与制度的改善,以扩大"和"的范围,增加善欲、减少恶欲。还必须运用并不断提高自身的意志力,来保证各种道德规范和制度的刚性,这样才能使"中、和、通之抽象之原理",最终成为人们享受的现实。总之,"理智在人生之地位及其功用,在引导诸欲,一方面使其得到满足,一方面使其不互相冲突。理智无力,欲则无限"②。在理智的引导下,欲望得到满足、不互相冲突,自然感到幸福、快乐。反之,理智无力,诸欲不能得到引导,必然无限扩张、激烈冲突,这样当然不可能实现,自然感到痛苦无比。

其次,冯先生指出:"自欺于人,亦是一种欲。"③人之所以有自欺的欲望,之所以需要自欺,说到底,是由人的特性决定的。人生活在两个世界,过着两种生活,面对来自两个世界、两种生活的挑战和压力,因此,需要有足够的信心和勇气,才能生活下去。这种信心和勇气,往往就来自自欺。而自欺实现的途径,则是幻想。诗、宗教正是幻想的表现形式。所以,能够满足人自欺的欲望。冯先生论证说:"诗对于宇宙及其间各事物,皆可随时随地,依人之幻想,加以推测解释;亦可随时随地,依人之幻想,说自己哄自己之话。"④人们借助于诗的形式,通过幻想,来抒发情怀,表达决心、信心,实现自己在现实中未能实现的希望。这样,既激励了自己,也激励了他人,在一定程度上为自己与他人减少了现实中的痛苦。正因为诗词有此功能,所以,冯先生强调,诗对于人们,就如同游戏对于儿童一样,虽然明知是假的,但仍然乐此不疲。诗虽然是不科学的,但对于人生来说,却与科学一样,有其价值。在实际生活中,与科学并行不悖。

冯先生又说:"宗教(迷信即宗教之较幼稚者,今姑以宗教兼言之)亦为人之幻

---

① 冯友兰:《一种人生观》,《三松堂全集》(第二卷),河南人民出版社2001年版,第15页。
② 冯友兰:《一种人生观》,《三松堂全集》(第二卷),河南人民出版社2001年版,第15页。
③ 冯友兰:《一种人生观》,《三松堂全集》(第二卷),河南人民出版社2001年版,第18页。
④ 冯友兰:《一种人生观》,《三松堂全集》(第二卷),河南人民出版社2001年版,第18页。

想之表现,亦多讲自己哄自己之道理。"①不同的是,诗明白自己哄自己,所以与理智、科学不冲突。宗教则以幻想为真实,实际上是在自己哄自己,却不认为是自己哄自己。这样,就将自己置于了科学的对立面。因此,冯先生强调:"若宗教能自比于诗,而不自比于科学,则于人生,当能益其丰富,而不增其愚蒙。"②所以,冯先生指出:对于宗教,"只要大家以诗的眼光看它就可以了。许多迷信神话,依此看法,皆为甚美。至于随宗教以兴之建筑、雕刻、音乐,则更有其自身之价值"③。很显然,冯先生的这种观点,是有道理的,值得我们借鉴的。

七、减少失望与苦痛的方法

冯先生《一种人生观》一书的落脚点,是在于为人们提供一种减少人生失望、痛苦,增加幸福感、快乐感的方法。其具体论证,是围绕着"内有的好""手段的好""无所为而为""有所为而为"四个命题展开的。

前面已经讲到,在冯先生看来,就人们的欲望本身而言,都不能称为恶。所以,冯先生指出:"凡能满足欲者,就其本身而言,皆可谓之'好'。"④具体说来,"好"又可以分为"内有的好"和"手段的好"。一种事物本身就具有满足欲望的价值,那么,这种事物就具有"内有的好"。如果一种事物本身并不是所欲的,但可以借助它来满足欲望,那么,这种事物就具有"手段的好"。比如小麦,其本身能够满足人们的食欲,即可认为有"内有的好"。而加工小麦的磨,即可认为具有"手段的好"。冯先生又指出:一种事物是具有"内有的好",还是具有"手段的好",在实际生活中并不是固定不移的。他举例说:比如写字,如果以写字为目的,那么,写字就为"内有的好";如果给朋友写信,那么,写字就为"手段的好"。基于以上分析,冯先生认为,人生中的大部分痛苦来自"手段的好",另一部分痛苦则来自"内有的好"。比如,有许多"内有的好"必须通过"手段的好"才能得到,而"手段的好"又往往枯燥乏味,因而造成痛苦。而有些"内有的好",虽然用尽枯燥乏味的手段也未能得到,因而失

---

① 冯友兰:《一种人生观》,《三松堂全集》(第二卷),河南人民出版社2001年版,第18页。
② 冯友兰:《一种人生观》,《三松堂全集》(第二卷),河南人民出版社2001年版,第19页。
③ 冯友兰:《一种人生观》,《三松堂全集》(第二卷),河南人民出版社2001年版,第19页。
④ 冯友兰:《一种人生观》,《三松堂全集》(第二卷),河南人民出版社2001年版,第20页。

望、痛苦。冯先生指出,因为我们的欲很多,所以世上大部分事物都可认为有"内有的好"。这种认识,显然是合乎实际的。比如一种事物,虽然不能满足人的某种欲望,但往往可以满足人的另一种欲望。例如白开水,虽然不能解饥,但可以解渴,所以,它仍然可以被认为有"内有的好"。据此,冯先生强调,如果我们在生活中将大部分"手段的好",也都认为是"内有的好",那么,人生的失望与痛苦就可减去一大部分。这种观点也显然是合乎实际的,切实可行的。比如,参加体育比赛,如果将比赛本身视为"内有的好",那么,比赛的结果不管如何,都不会感到失望和痛苦。如果将比赛视为"手段的好",以获取名次,得到高额奖金为目的,那么,比赛的结果一旦不如所愿,失望与痛苦必将随之而来。我们通常说的"贵在参与",就是将参与本身视为"内有的好"。这样,其参与的结果不管如何,都会有所得,都不会有失望和痛苦。由此可见,以"贵在参与"的态度对待生活和工作,只求踏踏实实,不求轰轰烈烈,不失为减少人生失望、痛苦的一种方法。与"内有的好""手段的好"思想相联系,冯先生又提出了"有所为而为"与"无所为而为"两个命题,并进行了深入分析。

所谓"有所为而为",就是"以'所为'为内有的好,以'为'为手段的好"[1]。比如建筑师为雇主建房,就是"有所为而为",就是将建房这种"为"作为获取报酬的手段,或者说将建房作为一种谋生的手段。在社会发展现阶段,可以说相当大的人群是将自己所从事的工作、劳动,作为手段的好。当然,也会有一些人将自己所从事的工作、劳动,作为内有的好。更有的人是将自己所从事的工作、劳动,既作为手段的好,又作为内有的好。

所谓"无所为而为",就是"纯以'为'为内有的好"[2]。比如"消闲"活动,游戏活动,就是纯以"为"为内有的好。还有"助人为乐",做好事不留姓名,也是纯以"为"为内有的好。到了共产主义社会,物资极大丰富,劳动成了人的需要,到那时,人们都会将自己所从事的工作,完全作为内有的好。冯先生指出:人事非常复杂,其中有一部分事情只可认为有手段的好。比如,生病时吃药、用兵时杀人等。然而,也

---

[1] 冯友兰:《一种人生观》,《三松堂全集》(第二卷),河南人民出版社2001年版,第22页。
[2] 冯友兰:《一种人生观》,《三松堂全集》(第二卷),河南人民出版社2001年版,第22页。

有许多事情,在做的过程中就可得好。对于这样的事情,我们就可以游戏的态度去做。所谓以游戏的态度去做,就是以做的过程为内有的好。冯先生特别强调:所谓以游戏的态度做事,并不是随随便便做事。游戏也有随便与认真之分。以认真游戏的态度做事,也不是做事无目的、无计划。冯先生认为:计划本身就是做事的组成部分,目的则是做事的意义所在。有目的、有计划,会使所做之事的内容更丰富。那么,我们是否可以将冯先生的这种思想概括为"游戏人生"呢?笔者认为是可以的。如果我们能够真正做到"游戏人生"的话,我们会将自己所承担的工作做得更出色,我们的失望和痛苦将会减少许多。

冯友兰先生学贯中西,阅历丰富,对人生问题有着非常深刻的思考。我们每个人都面临着各种各样的人生问题,认真学习研究冯先生的人生理论,对于解决我们自身所面临的人生问题,有着非常重要的启示意义。解决好我们自身所面临的人生问题,是我们学习研究冯先生以及其他思想家人生理论的最终目的和归宿。

A Brief Analysis of Feng Youlan's *A View of Life*

LIU Taiheng

(School of Public Administration, Zhengzhou University, Yuying Quality Education Research Institute of Henan Province, Zhengzhou, Henan, 450001)

Abstract: *A View of Life*, one of Feng Youlan's works about life, includes 12 chapters. Chapter 2 to 10 can be summarized into five aspects: the first is about the truth of life and the purpose of life; the second is about the elements and motivation of life; the third is about the human desires and the good and evil of human nature; the fourth is about the function of reason, poetry and religion to life; the fifth is about the way to reduce the disappointment and pain. A thorough study of life problems needs to start with human characteristics and common problems faced by human beings. The human characteristics are as follows: highly developed brains above animals; self objectification; living in two worlds; freedom and infinity as the highest goal. The common problems of mankind are as follows: the relationship between man and nature; the relationship between the individual and the group; the relationship between the individual and the individual; the relationship between the material life and the spiritual life. All kinds of researches and thoughts of thinkers centre on the issues and the explorations of approaches to a correct understanding of them and solutions to them.

Key words: Feng Youlan; outlook on life; purpose of life; desires

道德觉解与人生境界

——试析冯友兰对儒家道德形而上学的重构

鹿林

（河南农业大学 马克思主义学院，河南 郑州 450046）

摘　要：冯友兰运用新实在论和现代逻辑分析的方法对人生的核心问题进行了全面的探究，阐明了人因道德觉解程度的高低而具有不同境界的人生和自由，而最高的境界则是超越任何限制的天人合一的天地境界。由于觉解归根结底重在道德觉解，而天地境界毕竟亦是道德境界的延伸与升华，本质上还是道德境界，因此，冯先生对中国传统儒家人生哲学的重建，内在地蕴含着对儒家道德形而上学的重构。可以说，思想背景和方法的不同，使冯先生对儒家道德形而上学的重构在现代新儒家思想体系中具有独特的价值和意义，对我们今天建设社会主义伦理道德体系依然具有深刻的启示意义。

关键词：冯友兰；道德觉解；人生境界；道德形而上学

　　以儒家思想为主流的中国传统哲学从根本上说兼具人生哲学与道德哲学的双重属性。从道德的角度来考察人生，或将人生提高到道德的高度，是儒家思考人生问题的根本致思模式。冯友兰先生的《新原人》，仿照韩愈所著《原人》，运用新实在论和现代逻辑分析的方法对人生的核心问题进行了全面的探究，阐明了人因道德觉解程度的高低而具有不同境界的人生和自由，而最高的境界则是超越任何限制的天人合一的天地境界。由于觉解归根结底重在道德觉解，而天地境界毕竟亦是道德境界的延伸与升华，本质上还是道德境界，因此，冯先生对中国传统儒家人生哲学的重建，内在地蕴含着对儒家道德形而上学的重构。可以说，思想背景和方法

作者简介：鹿林（1973— ），男，河南沈丘人，河南农业大学马克思主义学院副教授、哲学博士、硕士研究生导师，主要从事马克思主义哲学、近现代西方哲学和中国传统哲学研究。

的不同,使冯先生对儒家道德形而上学的重构在现代新儒家思想体系中具有独特的价值和意义,对我们今天建设社会主义伦理道德体系依然具有深刻的启示意义。

一、冯友兰对重建道德形而上学的自觉

任何一个真正的哲学家从来都是高度自觉的人。他不仅是自己生命的觉悟者,而且是自己民族文化的觉悟者,因而他不仅会自觉地探索人生意义和生命价值,去努力实现自己的至高理想,以达到生命的至高境界,而且注定为自己国家民族的命运而忧心,从而自觉地担当起传承和创新民族文化的重任,使自己的民族不断繁衍壮大而能够屹立于世界民族之林。可以说,冯先生就是这样一位具有高度的自觉性和家国情怀的哲学家。

冯先生在《新原人》自序中说:"'为天地立心,为生民立命,为往圣继绝学,为万世开太平。'此哲学家所应自期许者也。况我国家民族值贞元之会,当绝续之交,通天人之际、达古今之变、明内圣外王之道者,岂可不尽所欲言,以为我国家致太平,我亿兆安心立命之用乎?虽不能至,心向往之。非曰能也,愿学焉。"[①]毫无疑问,冯友兰继承了中国传统儒家知识分子的使命,这种使命是他自觉担当起来的,因为他认识到自己就是一位哲学家,他也坚信,运用西方近代以来先进的哲学理念和方法通过全面而彻底地改造中国传统哲学,能够为中华民族开拓哲学精神的新天地。这种意识从某种意义上来说,是他同时代的那些亲眼看到近代西方文化全面地侵蚀中国传统儒家文化而对传统儒家文化怀有深厚感情的哲学家所普遍地具有的。

人的问题是哲学中的核心问题,任何哲学归根结底都必须以人的问题为自己的主题,相应地,任何偏离人的生存、生活、生命或人生的哲学思想终归会是片面的,其极端发展也终将遭到人们的排斥和否定。对中国人来说,哲学关注的核心问题从来不是宇宙问题或知识问题,而是人或人生问题,因而哲学更主要地表现为人生哲学。这一点,对中国传统儒家来说尤其如此。儒家对人、人生问题的思考,更注重道德修养,即修身。以修养为基础,通过齐家、治国实现平天下的理想是儒家基本的思路,而天人合一则是儒家所追求的最高境界。因而对儒家来说,人生哲学

[①] 冯友兰:《新原人》,生活·读书·新知三联书店2007年版,第1页。

与道德哲学虽各有侧重,但从根本上是混融一体的。特别是,由于儒家将人生问题、道德问题最终诉诸天人合一,因而人生哲学内在地蕴含着道德形而上学。冯先生对中国传统儒家哲学的批判与重构,就内在地蕴含着对儒家道德形而上学的重构。

紧紧地抓住人,全面地探索人生的意义和人的生命价值,探索人生的境界,恰恰就是冯友兰《新原人》的根本宗旨。《新原人》所探讨的核心问题实际上就是人、人生、伦理道德等。客观而言,冯友兰对这些问题的思考,从来不是针对具体伦理道德生活领域里的个别现象、个别问题的思考,而是从宇宙的高度,从终极的、普遍的、必然的层面考虑的,因而他是从伦理,特别是道德的普遍性、必然性考虑的,换句话说,他要重新建构道德形而上学,以改造中国传统儒家的道德形而上学。康宇指出:"道德形而上学,主要解释了道德的普遍性与必然性的原理,它是道德哲学的基本问题之一。"[1]冯友兰在《新原人》中真正关注的核心问题,实际上就是道德形而上学问题。他强调:"程朱所谓致知穷理,虽说是穷天地万物之理,而其实际所注意者,只是各种道德底事的理。"[2]可以说,基于这种思路,冯先生全面地考虑了人生的意义,探索了人所能够存在或实现的人生四境界,即自然境界、功利境界、道德境界和天地境界,揭示了人为达到天地境界所需要的条件,表达了自己对待生死的人生态度。尽管冯友兰强调天地境界高于道德境界,然而真正说来,天地境界是道德境界的终极表现而已,只不过在此意义上的道德已经不再局限于社会生活中的人与人之间的关系,而是全面地涵盖了整个宇宙万物,所要实现的恰恰是人与天地万物、与宇宙、与大全的混融一体,即天人合一。这实质上是道家意义上的道德境界,即庄子"乘道德而浮游","浮游乎万物之祖"的"道德之乡"(《庄子·山木》)。冯友兰强调:"为避免混乱,所以我们用道德一词的现在底意义,以称我们所谓道德境界。"[3]因此,天地境界实质上是更高意义上的道德境界,是道德境界的延伸与升华。

事实上,冯友兰改造传统儒家的道德形而上学,其目的就是为中国的道德形而上学提供新的具有普遍性和必然性的原理,就是借此为认识和评判现实生活中的

---

[1] 康宇:《儒家道德形而上学问题探究》,《哲学动态》2008年第5期。
[2] 冯友兰:《新原人》,生活·读书·新知三联书店2007年版,第178页。
[3] 冯友兰:《新原人》,生活·读书·新知三联书店2007年版,第49—50页。

伦理道德现象和问题提供一个新的道德理想、道德原则、道德评价标准、道德规范，为当代中国人的伦理道德生活塑造新的道德秩序，为中国人的道德修养提供新的精神资源，为中国人提供安身立命的精神支柱。可以说，这是冯先生作为具有深厚家国情怀的哲学家高度自觉的表现。

二、人生境界高低取决于道德觉解

冯友兰对儒家道德形而上学的重构，贯彻着一个基本思路，即人生是否超越动物层面而具有意义，取决于人是否有觉解，人生具有什么样的意义和境界取决于觉解的程度，宇宙是观察人生的根本视域，着眼于宇宙人生，天地境界是人能够达到的最高境界。

（一）人生意义取决于觉解

人本身来自自然界，来自宇宙，本身就与宇宙万物存在一起，然而动物意义上与天地万物、与宇宙混融一体，并不具有任何真正的意义。冯友兰强调，人生之所以有意义，关键在于我们人类有觉解，即人是有觉解、有意识的存在。可以说，冯友兰的人生哲学或道德形而上学的逻辑起点就是具有觉解或意识的主体。

我们知道，冯友兰首先是从"人生究竟有没有意义"以及"意义是什么""某一个字或某一句的意义是什么"展开探讨的。对哲学中所运用概念和范畴进行语言上的分析，实质上是新理学，归根结底是新实在论的特色和特长。冯友兰在阐述问题之前，对"解"与"觉"进行了区分。在他看来，人或人生并不是一个词、一个事物、一件事，我们不能仅仅借助于"概念"来"了解"，因为还要靠"自觉"。我们形成关于某一事物所以为一事物的理的知识，就形成了对事物的了解，这也是最低程度的了解。当然，这种程度上的了解已经比动物的"无解"要高明，因为动物对周围的一切的经验是无概念的经验，是一个"浑沌"。冯友兰强调："浑沌是不能有意义底。"[1]在此，冯友兰将概念、经验与名言之间的关系进行了辨析和梳理，他强调有概念的经验才是有意义的，即经验与概念的联合才是有意义的，而"名言的意义"不是"经验的意义"，只有当"名言"与"经验"联合起来，才具有意义。在《新理学》中，冯

---

[1] 冯友兰：《新原人》，生活·读书·新知三联书店2007年版，第6页。

友兰阐释了所谓"真命题",认为任何真命题实质上就是以特定的概念揭示了事物所表现的理,而我们如果能够对一事物所表现的理皆知之,则我们在理论上就能够形成对此事物的最全面、最彻底的了解,从而构成我们对此事物最全面的意义。冯友兰坚信:"我们若知人类的理所蕴含底一切理,我们即对于人类有最高程度底了解。"[1]在他看来,对人、人生有了解,它对我们就有意义,了解愈深愈多,就愈有意义。

(二) 宇宙是审视人生的根本视域

对于人,冯友兰从来没有局限于将其视为动物,甚至视为社会的动物,而是着眼于整个宇宙来看待人,因为他更强调人所应当达到的宇宙人生。

他说:"哲学所讲者,是对于宇宙人生底了解,了解它们是怎样一个东西,怎样一回事。我们对于它们有了解,它们对于我们即有意义。"[2]但是,冯友兰强调,对于一事物理论上可以达到最彻底、最全面的了解,而事实上极不容易做到,因此对于宇宙人生而言,就更是不容易有全面彻底的了解。其所以如此,因为人生有其最为显著的性质,对其有了解,实际上就是对其有"觉解",而觉解关键在于"自觉"。正是在辨析"解"与"觉"的基础上,冯友兰回答了他最初提出的问题,他指出:"若问:人是怎样一种东西?我们可以说:人是有觉解底东西,或有较高程度底觉解底东西。若问:人生是怎样一回事?我们可以说,人生是有觉解底生活,或有较高觉解底生活。这是人之所以异于禽兽,人生之所以异于别底动物的生活者。"[3]觉解实际上就是自觉地反观或反思,它已经将认识和观察的对象转为自身及其活动,是自觉的心理活动和心理状态。冯友兰借用佛教中的说法,强调觉解是"明",而不觉解则是"无明",觉解是"无明"的破除。因此,冯友兰强调人是有觉解的东西,而人最高的觉解就是从宇宙的高度来全面地看待人、看待人生及其意义,实际上就是从超越世俗的形而上的高度来确立人的主体地位,来明确人的主体意识。

(三) 道德觉解的最高境界是天地境界

道德形而上学所以是冯友兰人生哲学的核心,在于他认为对宇宙人生的觉解

---

[1] 冯友兰:《新原人》,生活·读书·新知三联书店2007年版,第10页。
[2] 冯友兰:《新原人》,生活·读书·新知三联书店2007年版,第10—11页。
[3] 冯友兰:《新原人》,生活·读书·新知三联书店2007年版,第11—12页。

有不同的程度，不同的程度决定着不同的人生境界，而最高程度的觉解为道德觉解，达到最高境界的人即是圣人。

冯友兰说："人对于宇宙人生底觉解的程度，可有不同。因此，宇宙人生，对于人底意义，亦有不同。人对于宇宙人生在某种程度上所有底觉解，因此，宇宙人生对于人所有底某种不同底意义，即构成人所有底某种境界。"① 在他看来，在现实生活中，正如佛家所说强调每人各有其自己的世界一样，每个人由于觉解的程度不同而各有其境界，因此宇宙人生究竟具有什么意义，完全取决于自己的觉解。尽管各人有各人的境界，严格地说没有两个人的境界是完全相同的，但不同的境界却能从其大同的角度加以概括。众所周知，正是根据这一点，冯友兰提出他的著名的"四境界说"："人所可能有底境界，可以分为四种：自然境界，功利境界，道德境界，天地境界。"② 在他看来，自然境界中的人其行为是顺才或顺习，由于没有觉解，其境界是一个浑沌；在功利境界中的人其行为是为利的，他对自己及逐利行为有着清楚的觉解，实现自己利益的最大化就是其最后目的；道德境界中的人其行为是行义的，即在于实现社会的、公共的利益，为社会做贡献是其最后的目的；天地境界中的人的行为是事天的，他不仅了解了整个社会，而且了解了整个宇宙，从而能够知天尽性。在此四境界之中，"天地境界"为最高。

然而，真正说来，"天地境界"实质上是"道德境界"的延伸、拔高或升华。对于冯友兰来说，他认识到如果按照道家的观点，"天地境界"应称为"道德境界"，而"道德境界"则应称为"仁义境界"，只是鉴于"道德"二字联用，已经具有了现代意义，因而为了避免混淆而用其称谓"天地境界"所对应的境界。客观而言，这四种境界都是从宇宙人生的高度、从伦理道德的高度判断的结果，只不过自然境界没有伦理道德意义而已，功利境界具有最低层的伦理意义而已，道德境界具有较高道德意义而已，而天地境界具有最高的道德意义而已。天地境界所以是道德境界，但又有自己独立的称谓和意义，是有特殊的侧重而已。

---

① 冯友兰：《新原人》，生活·读书·新知三联书店2007年版，第43页。
② 冯友兰：《新原人》，生活·读书·新知三联书店2007年版，第45页。

三、天地境界的基本特征

（一）知性与知天的统一

冯友兰强调，达到对道德境界和天地境界的宇宙人生的觉解，实际上涵盖两个维度，其中，对宇宙有完全的觉解是知天，对人生有完全的觉解是知性。冯友兰说："知性，则他所做底事，对于他即有一种新意义，此种意义使其境界为道德境界；知天，则他所做底事，对于他即又有一种新意义，此种新意义使其境界为天地境界。"① 实际上，超越功利的道德，不仅在于科学地解决现实社会生活中人与人之间的利益关系，而且还在于解决人在宇宙中与天地万物之间的关系。

冯友兰强调，达到这种境界的人，"他已知天，所以他知人不但是社会的全的一部分，而并且是宇宙的全的一部分。不但对于社会，人应有贡献；即对于宇宙，人亦应有贡献。人不但应在社会中，堂堂地做一个人；亦应于宇宙间，堂堂地做一个人。人的行为，不仅与社会有干系，而且与宇宙有干系。他觉解人虽只有七尺之躯，但可以'与天地参'；虽上寿不过百年，而可以'与天地比寿，与日月齐光'"②。毫无疑问，这种不仅从社会而且从宇宙整体来看待和要求自己的人，来强调有所贡献的人，来渴望不仅在社会上而且在宇宙间"堂堂地做一个人"的人，就是一个超越世俗生活意义之上甚至社会崇高道德意义之上的道德人。这种道德人，冯友兰称之为"圣人"，而圣人就是最完全的人，他在天地境界中处于圣人地位，其举止态度呈现出圣人气象。可以说，冯友兰的这种论证，不仅确立了全面审视和评判一切伦理道德现象的宇宙人生视域，而且为世人，当然也更为他自己树立了最高的道德理想人格。换句话说，他从宇宙的高度确立了道德追求无上高远的形而上境界，也确立了至高无上的道德理想人格。

（二）敬与集义

道德境界，特别是天地境界，是人生理应追求的境界，但是，这样的境界是精神的创造，而不像自然境界和功利境界那样是自然的礼物，因而需要一定的功夫来维

---

① 冯友兰：《新原人》，生活·读书·新知三联书店2007年版，第161—162页。
② 冯友兰：《新原人》，生活·读书·新知三联书店2007年版，第49页。

持。如果说觉解是达到道德境界和天地境界的必要工夫,那么,维持和常住于道德境界和天地境界,更需要一番工夫。在冯友兰看来,能够使人常住于道德境界和天地境界的工夫就是"敬"和"集义"。

所谓"敬",就是常注意,常本着对宇宙人生的觉解;而所谓"集义",则是指常本此觉解以做事。也就是说,不仅保持高度的道德自觉,而且自觉地做道德的事。"如果一个人的觉解使有道德境界,则他常注意此等觉解,常本此等觉解以做事,即使他常住于道德境界中。如他的觉解使他有天地境界,则他常注意此等觉解,常本此等觉解以做事,即使他常住于天地境界中。"[1]因此,他非常注重道德修养方法和意义。在关于觉解与"敬"的逻辑关系上,他强调:"他若求有天地境界,他必先有如上所说底觉解,然后他的用敬,才不致如空锅煮饭。他必要'先立乎其大者'。"[2]在他看来,他所提出的修养方法,虽近于程朱,而并不失于支离,虽近于陆王,而并不失于空疏,因为程朱一派强调一面求觉解,一面用敬,讲究稳扎稳打,步步为营,最后才能常住于天地境界,而陆王一派强调"先立乎其大",于即物穷理致知上明显不足,未免陷于空疏。

(三)超越才与命的限制达到自由

冯友兰不仅提出维持或常住道德境界、天地境界的修养方法,而且还进而考察了力、才、命在实现和维持道德境界、天地境界过程中的作用和影响。在他看来,世上之人凡在某方面取得大成就,首先必须靠勤奋或努力,但努力或力仅仅是成功的必要条件,而不是充足条件,要取得成功,还跟才与命存在着紧密的联系。

所谓才即人的天资,所谓命即人的一生中不期而然的遭遇,这两个方面都制约着力的发挥:才使一个人努力的极致达到了某个界限就不再有质上的进益,纵使天才也是如此,而命则作为不期然的遭遇是力所无可奈何的,如在顺境就是命好,如在逆境则是命坏。冯友兰在揭示了力、才、命相互关系的基础上,强调了它们在实现和维持道德境界及天地境界上的意义。他说:"人都受才与命的限制。但在道德境界及天地境界中底人,在事实上虽亦受才与命的限制,但在精神上却能超过此种

---

[1] 冯友兰:《新原人》,生活·读书·新知三联书店2007年版,第163页。
[2] 冯友兰:《新原人》,生活·读书·新知三联书店2007年版,第176页。

限制。"①在他看来，自然境界中的人，由于没有觉解，因而不知其受才的限制。功利境界中的人，有觉解，其行为有明确的求利目的，如果求利求不得，要么是命穷要么是才尽。但是道德境界和天地境界中的人，在精神上不受才的限制。道德境界中的人其行为是行义的，以尽伦尽职为目的，无论才大小都能尽其伦尽其职，换句话说，都能达到其目的，纵使不及别人，也能够视别人的才如自己的才，视别人的成就如其自己的成就，因而不会为受才的限制而痛苦。天地境界中的人，是知天事天者，其行为以事天赞化为目的，无论才大小，亦能实现其赞天地化育的目的。在顺境和逆境中，对于自然境界和功利境界中的人来说，的确有价值和目的不能实现的可能，但是，对于道德境界和天地境界中的人来说，虽然事没有做成，遭到失败，但并不妨碍他的行为具有道德价值，甚至可以说，有些道德价值非在逆境中不能实现。既然人不受才与命的限制，不受逆境的限制，人就能够达到自由，那么冯友兰强调："在道德境界中底人，在精神上不受才与命的限制，他是不受实际世界中底限制的限制。在天地境界中底人，在精神上亦不受才与命的限制，但他是不受实际世界的限制。不受实际世界中底限制的限制，是在道德境界底人的自由。不受实际世界的限制，是在天地境界中底人的自由。"②冯友兰承认人有意志自由，认为它可以通过提高学养而达到，却并不为学养所决定。在他看来，人在修养、学问和事功上，无论何方面的大成就，都靠才、力、命三种因素的配合，只是各有偏重而已。

（四）超越生死而天地顺化

最后，冯友兰又阐明了道德境界及天地境界中人的生死观，即认为道德境界及天地境界中的人，是不受死的威胁的。

在他看来，对生死的觉解，是对生死有某种意义的前提。自然境界中的人对生死都没有觉解，因而不了解生死的意义；功利境界中的人明确地觉解到生死，认为生是"我"的存在继续，而死是"我"的存在的断灭；道德境界中的人认识到生得以尽伦尽职，而死则是尽伦尽职的结束；对于天地境界中的人来说，生为顺化，死亦为顺化。冯友兰强调，道德境界和天地境界中的人所以能够超越生死而不受死的威胁，

---

① 冯友兰：《新原人》，生活·读书·新知三联书店2007年版，第187页。
② 冯友兰：《新原人》，生活·读书·新知三联书店2007年版，第198—199页。

关键在于其精神超越了当下。道德境界中的人，前亦见古人，后亦见来者，古往今来，打成了一片，因而自己是不孤独的，自可不受死的威胁，在生之时则始终尽伦尽职，而且死而后已。天地境界中的人，肉体随自然而顺化，精神上超越了生死，因而他始终都自同于大全、大化，大全的永恒存在亦使他觉得自己是永远存在的。

四、冯友兰重建道德形而上学的得失

冯友兰在美国接受了新实在论，运用新实在论的方法和技术，对中国传统哲学（特别是儒家哲学）中的概念、范畴进行了全新的诠释、梳理，从而形成了中国现代新儒家思想史上自成一家的新理学。新理学成为冯友兰全面审视宇宙、天地万物、社会人生、伦理道德等事物或现象的根本视域。就人生哲学、伦理道德问题上的思考而言，新理学思想和方法的全面贯彻既使冯友兰超越了中国传统道德形而上学，也由于新理学及其新实在论自身的问题而存在着一定程度的局限，因而有得有失。

众所周知，最能够确证冯先生作为一个哲学家的哲学著作，就是他具有原创性的"贞元六书"。从根本上来说，"贞元六书"虽各有偏重，甚至论述上还可能存在着不一致的地方，但总体而言却贯彻着统一的思想，即他的新理学思想。冯先生在学术自述中曾承认，他进入哲学之门，缘于对逻辑学的兴趣，在美国虽投拜于实用主义大师杜威门下，但他特别钟情于当时在英美比较流行的新实在论。"新实在论认为，存在既不具有唯物主义性质，也不具有唯心主义性质，存在是'中性元素'的总和，这些元素视情况而异，或者具有物理意义，或者具有心理意义。"[①]因此，它更注重客体与主体之间的关系，而不是追究客体与主体自身的本性，认为被认识的对象，不仅包括个别事物，而且包括特殊事物和共相，都具有独立存在性，都是可以从逻辑上推定的，它们既直接地呈现于人们的意识之中，又独立于意识而存在。冯友兰正是贯彻新实在论的方法原则，在"接着讲"的思路下全面地改造了程朱理学，提出了在现代新儒家思想流派中具有独创意义的新理学，从而成为现代新儒家中的一家。《新原人》中对人、人生以及伦理道德问题的探讨，或者说对道德形而上学的重构，就贯彻了这种新理学的方法原则。

---

① 《哲学译丛》编辑部编译：《近现代西方主要哲学流派资料》，商务印书馆1981年版，第264页。

冯友兰对道德形而上学的重构是哲学意义上的,他的新理学本质上贯彻着哲学替代宗教的思想宗旨。在冯友兰看来,宗教是一种图画式的想,而哲学则是一种自反的思,必须扫除宗教中的混乱与迷信,而给以清楚的思,是哲学的主要任务。作为自反的思,哲学不仅能够使人知性,而且能够使人知天,即人不仅通过觉解而知人之所以为人,使人异于禽兽,而且通过最高的觉解认识到宇宙或大全,以及理与太极。针对宇宙、大全等观念,他说:"虽是形式底,而可以使人'开拓万古之心胸'。这个观念,严格地说,与其所拟代表者,并不完全相当。"①就是说,宇宙、大全与宇宙的观念、大全的观念,并不完全相当,前者代表客观存在,而后者代表思议中的存在。在他看来,宇宙、大全是既不可思议也不可想象的,而宇宙、大全的观念则是可以思议的。而对于理、理世界或太极,他则强调:"理及理世界是只可思议,不可想象底。"②所谓"理",就是某一类事物之所以为某一类事物者,而总括所有的"理"即是太极或理世界。在他看来,理世界是实际世界中的事物的最高的典型或法则。在此基础上,他进而提出"道体"观念,以概括一切生灭变化,即"道体是实际世界及其间事物生灭变化的洪流",也就是传统意义上的"大化流行"或"大用流行"③。可以说,正是通过这种重新梳理,他建构了一个新理学视域下的哲学宇宙观。而这一哲学宇宙观,恰恰是他审视人生问题、人生境界,重构道德形而上学的根本视域。如上所述,觉解是人生具有意义,从而达到道德境界乃至天地境界的根本途径。他说:"这些哲学底观念,虽不能予人以积极底知识,但可以使人有一种新境界。人必有宇宙的观念,然后他可知他不但是社会的分子,而且是宇宙的分子。事实上,人虽都是宇宙的分子,但却非个个人都觉其是宇宙的分子。人如觉解其是宇宙的分子,他必已有宇宙的观念。"④又说:"所以这些哲学底观念,虽不能予人以积极底知识,因而亦不能在技术方面,使人能做什么,但可以使人所做底事,所见底事,对于他都有一种新意义。此种新意义,使人有一种境界。此种新境界,是天地境界。此是哲学的大用处。用西洋哲学的话说:哲学的用处,本不在于求知识,而

---

① 冯友兰:《新原人》,生活·读书·新知三联书店2007年版,第173页。
② 冯友兰:《新原人》,生活·读书·新知三联书店2007年版,第173页。
③ 冯友兰:《新原人》,生活·读书·新知三联书店2007年版,第173—174页。
④ 冯友兰:《新原人》,生活·读书·新知三联书店2007年版,第174页。

在于求智慧。"①换句话说,只有哲学,才能真正地使人觉解到自己既是社会的分子,也是宇宙的分子,从而使他的人生具有意义,而一旦能够觉解到这种层次,他就已经进入了天地境界。

客观地说,如果说冯友兰所说道德境界,特别是天地境界能否达到完全依赖于人的觉解,那么,他所建构起来的道德形而上学实际上依然存在着很大的偏颇性。的确,就如何使人达到道德境界,特别是天地境界,冯友兰既批判了程朱一派的方法失于支离,又批判了陆王一派的方法失于空疏,而强调必须兼顾两派方法的优点,指出"欲常住于天地境界,则人须对如此底哲学底觉解'以诚敬存之'。研究哲学,是'进学在致知';'以诚敬存之',是'涵养须用敬'"②。也就是说,既要通过研究哲学从形式上觉解宇宙、大全等哲学观念,"先立乎其大者",又要在日常生活中以诚敬的态度通过"格物"由知实际而知真际,由知一偏而知大全,但又不执着于某理的完全内容及一切理的完全的内容。可以说,冯友兰试图在解决程朱学派与陆王学派之间的矛盾,来吸收和融合两派的优点。但是,不可否认,冯友兰所关注的人或道德主体,更多意义上指的是个人,而不是一个群体、阶层、阶级或民族。因此,他强调人可以通过努力发挥其"天授"之"才",但不可避免地会遭遇不期然而然的"命"。他举例说:"一个人任性挥霍,以致一贫如洗,他的贫是'自作自受',不能归之于命。但一个人的房子,忽为邻居起火延烧,或于战时为敌机炸弹所中,他因此一贫如洗,他的贫则可归之于命。"③实际上,他所举的例子,情况是非常复杂的,绝不能通过"命"来解释,因为对人而言,具有破坏性的外在力量,除无法推定责任主体的,还有能够明确地判断责任主体的,如上例中战时驾驶敌机投掷炸弹的敌人。因此,冯友兰对人的顺境和逆境、好运与坏运、命好与命坏的判断,从某种意义上来说看成了个人的事,忽视了造成这种状况的更为根本的因素,如社会制度自身的合理性、统治阶级的压迫和剥削、外族的侵略与欺侮,等等。显然,如果一味地强调尽职尽伦,强调知天事天,强调同天同于大全,而不介意于社会上的名利、贵贱、

---

① 冯友兰:《新原人》,生活·读书·新知三联书店2007年版,第174—175页。
② 冯友兰:《新原人》,生活·读书·新知三联书店2007年版,第175页。
③ 冯友兰:《新原人》,生活·读书·新知三联书店2007年版,第184—185页。

得失、顺逆、成毁，只是强调顺理顺道、"物来顺受"或"顺应"，从而超越任何限制而达到逍遥与自由，那么，人达到天地境界仅仅意味着个人的精神解放和精神自由，而没有真正地改造和改变现实的生活状况，特别是通过社会制度的彻底变革而实现更多人或广大人民群众的自由。

当然，尽管冯友兰基于新理学对道德形而上学的重构存在着较大的偏颇性，这种重构仍具有非常重大的价值，他毕竟是站在当时时代的高度在批判吸收中西哲学思想精华的基础上作出的，这对我们今天全面地继承和弘扬中华传统伦理道德思想，融合当今中西伦理道德研究前沿思想，建设社会主义伦理道德体系依然具有重要的启示意义。

Moral Awareness and Life State
——An Analysis of Feng Youlan's Reconstruction of Confucian Moral Metaphysics

LU Lin

(School of Marxism, Henan Agricultural University, Zhengzhou, Henan, 450046)

Abstract: With methods of new realism and modern logic analysis, Feng Youlan comprehensively explored the core of life, elucidating that different life and freedom resulted from levels of individual moral awareness and the best state was the unity of nature and man which went beyond any restrictions. Awareness ultimately focuses on the moral part for the world state, essentially the moral state, is an extension and sublimation of moral state. Therefore, Feng's reconstruction of Chinese traditional Confucian philosophy of life intrinsically implies the reconstruction of Confucian moral metaphysics. It can be said that it is differences in ideological backgrounds and methods that make Feng's reconstruction of Confucian moral metaphysics have unique value and significance in the modern

Neo-Confucian ideological system, which still has profound enlightening significance for present construction of socialist ethical and moral system.

Key words:Feng Youlan;moral awareness;life state;moral metaphysics

冯友兰对人生问题的思考及其人生境界论

关 心

(河南农业大学 马克思主义学院,河南 郑州 450046)

摘 要:人生问题是哲学的最高问题,任何哲学家对哲学问题的思考最终总会涉及人生问题,也是近代以来中国哲学家普遍关注的重要论题。冯友兰的哲学兴趣虽然起于逻辑学,但他认为哲学的任务在于提高人的精神境界。随着哲学研究的深入,他逐渐地思考起人生问题,并贯彻其新理学思想,最终创立了独具特色的人生境界论。冯友兰的人生境界论在中国近现代哲学史上具有重要的价值和意义,对当前摒弃客观唯心主义的弊病,对人们实现自身价值、探索生命意义仍然具有重要的启示意义。

关键词:冯友兰;人生问题;新理学;人生境界论

自近代以来,中国哲学界的大家们从未停止过对人生问题的思考,在众多大家中,冯友兰先生是最具有代表性的人物之一。他将西方哲学中的人生哲学部分寓于中华传统文化之中,结合传统儒家文化的思想,从更加深远的角度,创造性地提出了"人生境界论"(亦称"人生四境界说"),即认为人生具有四重境界:自然境界、功利境界、道德境界和天地境界。这一具有革命性和创造性的思想,启发了后人重新思考对待生命的看法、价值的追求和人生的定位,也给予当代中国青年对幸福美好的理想生活的追求以诸多启发。

一、冯友兰对人生问题的思考

众所周知,古希腊哲学家苏格拉底援引雅典德尔菲神庙石碑上的著名箴

作者简介:关心(1996—),女,河南郑州人,河南农业大学马克思主义学院2018级马克思主义基本原理专业硕士研究生,主要从事马克思主义基本原理与中国传统文化研究。

言——"认识你自己"来唤起人们对人生问题的思考,使哲学从对宇宙本原的抽象探索转向对人的社会生活的现实关怀,由此哲学从天国回归到人间。哲学是一门全面地彰显人类反思精神的学问。人们在不断反思外界事物的同时,也会反思自身的种种问题,其中包括人的存在、价值、意义、追求等一系列深刻的人生问题。由此可见,哲学反思的尽头便是人们回过头来对人生问题的认识与思考,哲学家们对人生问题的思考蕴藏着丰富的人生哲理,也能从侧面反映出哲学家自身对待人生问题的态度和观点——哲学家的人生观。针对"哲学的任务是什么"这一问题,冯友兰曾强调:"按照中国哲学的传统,它的任务不是增加关于实际的积极的知识,而是提高人的精神境界。"[1]不难看出,冯友兰针对这一问题作出的思考与回答以及提出的人生境界论,深受中国传统哲学的影响。

人生问题是哲学的最高问题,然而任何哲学家都不是天生的,在他自己最初的哲学思考和研究的启蒙阶段,引发他学习哲学的兴趣往往是其他因素,只是随着思考的深入而必然地反思人生哲学问题。冯友兰在回顾自己的哲学探索之路时,特别强调他是因早年在上海中国公学大学预科期间喜欢逻辑学而产生了学习哲学的兴趣。他说:"我学逻辑,虽然仅仅只是一个开始,但是这个开始引起了我学哲学的兴趣。我决心以后要学哲学。"[2]时间来到1915年的夏天,冯友兰从中国公学大学预科毕业后进入北京大学继续深造,当时的北京大学是中国唯一一所开设哲学系的学校,这也是冯友兰哲学之路启程的地方。对于哲学的学习,国内的条件资源并不充足,但他学习兴趣强烈、意志坚定,自此奠定了他一生对于哲学的不懈追求。1918年毕业后,全班13人只有他一人仍坚持在哲学领域进行研究,从事教育一年后他考取赴美留学资格,在胡适先生的建议下申请进入哥伦比亚大学深造。

赴美深造,是冯友兰哲学研究的真正开端。他在北京大学上学期间,中西文化之间的交流、碰撞与矛盾已经普遍地引起了中国人的高度关注,梁漱溟的"中西文化及其哲学"讲演所激起的百家争鸣,更多地反映了当时存在着的诸多社会矛盾,如何更科学地解释和消除这些矛盾,成为冯友兰思考的重要问题。因此,针对自己

---

[1] 冯友兰:《中国哲学简史》,北京大学出版社1985年版,第389页。
[2] 冯友兰:《三松堂自序》,《三松堂全集》(第一卷),河南人民出版社2001年版,第169页。

的留学,他强调:"我是带着这个问题去的,也可以说是带着中国的实际去的。当时我想,现在有了一个继续学哲学的机会,要着重从哲学上解答这个问题。这就是我的哲学活动的开始。"①在美国期间的种种见闻,使得冯友兰与西方文化有了直接的接触,美国一片繁荣的景象他历历在目,这与中国的贫穷落后形成了鲜明对比,也引发了他对于现象背后的本质——中西文化矛盾进行思考。起初,他将美国繁荣的原因归结于19世纪西方近代自然科学的蓬勃发展,而进一步深入思考后他又提出了另一个问题:中国为何没有发展自然科学?《中国为何无科学——对于中国哲学之历史及其结果之一解释》这篇文章就是为了回答这个问题而写作的。此文通篇的观点是:"中国所以没有近代自然科学,是因为中国的哲学向来认为,人应该求幸福于内心,不应该向外界寻求幸福。"②

在对中西文化问题的思考转向更深层次的思考后,他最终将一系列的哲学问题归结到人生问题上,同时,他也对每一位哲学家所必经的哲学研究和思考规律进行了有效的系统论证,因此形成了自己独特的哲学见解。他强调:"我当时认为,我的看法,是我自己得来的,有自己的特点。特点是打破所谓中、西的限界。我当时认为,向内和向外两派的对立,并不是东方与西方的对立。人的思想,都是一样的,不分东方与西方。"③在对待中西方文化的差异问题上,冯友兰跟梁漱溟的观点有明显差别,他在经过了独立且细致的思考后,对梁漱溟的观点进行了理论突破,虽然观点相对来说比较稚嫩,但这也使冯友兰登上了中国哲学文化的舞台。他对这一问题进行深入思考和研究后,写成了一部书,名为《天人损益论》,这即是他在哥伦比亚大学研究院毕业时的博士论文。此书英文版1924年在上海商务印书馆出版时改为《人生理想之比较研究》,而为了适应高中教学需要,经过改编,1926年商务印书馆出版中文版时改名为《人生哲学》。但《人生哲学》实际上还合并了《一个新人生论》(原名为《一种人生观》,是曾经收入商务印书馆编辑的《百科小丛书》的一篇讲稿),只是后者没有一贯的论点和中心思想,还无法形成一个完整的哲学体系。

与此同时,冯友兰还强调:"真正的哲学总是对于宇宙人生的道理有一点了解,

---

① 冯友兰:《三松堂自序》,《三松堂全集》(第一卷),河南人民出版社2001年版,第172页。
② 冯友兰:《三松堂自序》,《三松堂全集》(第一卷),河南人民出版社2001年版,第173页。
③ 冯友兰:《三松堂自序》,《三松堂全集》(第一卷),河南人民出版社2001年版,第173—174页。

有一点体会,尽管他的了解、体会或许偏而不全,但他所说的是他自家所真正见到的东西,并不是抄别人的,那就有一定的价值。"①从这句话中我们不难看出,冯友兰对宇宙人生的道理已有自己的理解和体会,不然他不会有这样的观点。事实上,在他整个哲学体系中,人生问题是他的哲学思想的核心组成部分,他独有的人生观即人生境界论就是他人生哲学思想的精髓所在。

二、冯友兰人生境界论的形成

冯友兰在他留学期间吸纳新思想,将中西哲学的人生问题的核心论点汲取并融会贯通,形成了自己独特的一套哲学体系——新理学,正是这一全新的哲学体系,为分析解决人生哲学问题注入了全新的血液,提供了全新分析问题的理论和方法。自觉、系统地运用新理学解决深刻的哲学问题,使冯友兰形成了自己独有的见解,也使得他在中国现代哲学史上占有举足轻重的地位。

1919—1921年期间,美国实用主义哲学家杜威和当时为新实在论者的英国哲学家罗素受梁启超等人的邀请到中国所进行的系列演讲,广泛地影响了中国思想界和学术界,使实用主义和新实在论成为当时在中国比较流行的西方哲学思想。冯友兰在哥伦比亚大学研究院学习时恰好也有这两个派别,因此对这两个派别都比较熟悉。冯友兰说:"在我的哲学思想中,先是实用主义占优势,后来新实在论占优势。"②通过研究,他发现实用主义的特点在于它的真理论,它否认真理是客观的,而核心精神就是"有用就是真理"。而随着他的思想逐渐转变为柏拉图式的新实在论,冯友兰发现实用主义不过是发现真理的方法,而真理则是客观的。他强调:"总起来说,新实在论所讲的,是真理本身存在的问题,实用主义所讲的,是发现真理的方法的问题。所以两派是并行不悖的。"③

正是根据这些观点,冯友兰在《人生哲学》里回答了当时哲学界及一般思想界所讨论的问题,广泛地讨论了一般哲学问题,还对宇宙构成、文学艺术以至宗教等问题进行了尝试性的回答。当然,在这个时候,他的哲学思想还没有真正地成熟,

---

① 冯友兰:《三松堂自序》,《三松堂全集》(第一卷),河南人民出版社2001年版,第181页。
② 冯友兰:《三松堂自序》,《三松堂全集》(第一卷),河南人民出版社2001年版,第179页。
③ 冯友兰:《三松堂自序》,《三松堂全集》(第一卷),河南人民出版社2001年版,第179—180页。

只是随着中国哲学史著作的撰写而不断地酝酿,最终在"贞元六书"中得到了系统的阐释,从而建立起了自己的新理学体系。

1927年至1934年冯友兰先后在燕京大学、清华大学和西南联合大学讲授中国哲学史,在教学过程中边讲授边写作,于1931年率先在上海神州国光社出版了《中国哲学史》上册,全书完成后于1934年由商务印书馆出版。深入研究中国哲学史的过程也是他自己的哲学思想的酝酿和萌芽过程。他说:"1931年我在《大公报》的《世界思潮》副刊上,连续发表了几篇《新对话》。1937年我在《哲学评论》第七卷第三期上,发表了一篇文章,题目是《哲学与逻辑》。在这些文章中,'新理学'的主要观点已有了萌芽。"[1]在抗日战争期间,冯友兰在颠沛流离的将近十年的艰难岁月里,写作了最能代表他哲学思想体系的"贞元六书",即《新理学》(1939年)、《新事论》(1940年)、《新世训》(1940年)、《新原人》(1943年)、《新原道》(1945年)、《新知言》(1946年)。在他看来,这六部书实际上只是一部书,分为六个章节而已,是从六个方面对中华民族的传统精神生活进行的反思。[2] 在《新原人》"自序"中,就"贞元六书"的写作动机和缘由,他曾这样回顾:"'为天地立心,为生民立命,为往圣继绝学,为万世开太平。'此哲学家所应自期许者也。况我国家民族值贞元之会,当绝续之交,通天人之际、达古今之变、明内圣外王之道者,岂可不尽所欲言,以为我国家致太平,我亿兆安心立命之用乎?虽不能至,心向往之。非曰能之,愿学焉。此《新理学》《新事论》《新世训》及此书所由作也。"[3]"贞下起元"是中国传统周易思想中喻示冬尽春来、万物劫后重生的用语,冯友兰借以期待着中国抗日战争的终将胜利和饱受灾难之后的中华民族终将迎来伟大复兴。

作为哲学家,冯友兰自觉承担了"为往圣继绝学"的历史使命,不再"照着讲",而是"接着讲",在广泛吸收中西哲学思想的基础上,特别是在新实在论的基础上,提出了"新理学"。他的《新理学》,实质上是他的整个新理学体系的一个总纲。"新理学"之新是相对于程朱理学来说的,是把程朱没有讲明确的地方明确起来,因而是接着程朱理学讲的。他明确地说:"哲学方面的创作总是凭借过去的思想资

---

[1] 冯友兰:《三松堂自序》,《三松堂全集》(第一卷),河南人民出版社2001年版,第210页。
[2] 冯友兰:《三松堂自序》,《三松堂全集》(第一卷),河南人民出版社2001年版,第209页。
[3] 冯友兰:《新原人》,生活·读书·新知三联书店2007年版,自序第1页。

料,研究哲学史和哲学创作是不能截然分开的。不过还是有不同。哲学史的重点是要说明以前的人对于某一哲学问题是怎样说的;哲学创作是要说明自己对于某一哲学问题是怎么想的。自己怎么想,总要以前人怎么说为思想资料,但也总要有所不同。这个不同,就是我在《新理学》中所说的'照着讲'和'接着讲'的不同。"[1]冯友兰在《新原人》中阐明了人之所以为人的道理,同时将《新理学》这一"总纲"中关于人的论述展开来讨论并详细地提出了"四境界说",从而形成了自己的人生境界论,其核心在于强调人对人生意义的觉解决定着其人生境界。

冯友兰认为,现在西方资产阶级哲学家所着重研究的多半是一些枝枝节节的小问题,而对可以使人"安身立命"的大道理反而不讲了,把解决这些大问题的责任忘记了,把本来是哲学应该解决的问题都推给了宗教,这显示了现代资产阶级的"哲学的贫困",但"人生的意义是什么"这一类人们普遍关注的大问题,是最值得回答的,而在中国,从五四时代以来,这一类问题也一直为人们所追问。[2]

为了阐释人生的意义,冯友兰在《新原人》开始就探讨了"意义"问题。在他看来,某一东西的性质是客观的,而其意义在于人们对它的了解,"各人有各人的了解,一个东西对于各人有不同的意义,可以各行其是",不仅如此,"人对于事物有所了解,而又自觉他有所了解"[3]。"自觉"其"了解",冯友兰简称为"觉解"。在他看来,"各人有各人的人生,不能笼统地问:人生有没有意义? 有什么意义? 因为人生是各种各样的,不同的人生,有不同的意义"[4]。"四境界说"是冯友兰的代表性论断,也是他在充分论述"人生意义"这一哲学问题后总结提出的,同时他强调:"人在生活中所遇见的各种事物的意义构成他的精神世界,或者叫世界观。这种精神世界,《新原人》称为'境界'。各人的精神境界,千差万别,但大致说,可以分为四种。一种叫自然境界,一种叫功利境界,一种叫道德境界,一种叫天地境界。"[5]冯友兰的人生境界论和关于人生问题的哲学因为"四境界说"的提出而逐渐完整,形成了他

---

[1] 冯友兰:《三松堂自序》,《三松堂全集》(第一卷),河南人民出版社2001年版,第209—210页。
[2] 冯友兰:《三松堂自序》,《三松堂全集》(第一卷),河南人民出版社2001年版,第222页。
[3] 冯友兰:《三松堂自序》,《三松堂全集》(第一卷),河南人民出版社2001年版,第223页。
[4] 冯友兰:《三松堂自序》,《三松堂全集》(第一卷),河南人民出版社2001年版,第223页。
[5] 冯友兰:《三松堂自序》,《三松堂全集》(第一卷),河南人民出版社2001年版,第223页。

独特的哲学体系。同时人生境界论也为我们重新思考有关人生问题提供了新的思维模式，这也是他的新理学在解决人生哲学问题上成功探索出一条崭新道路的最好证明。

三、冯友兰人生境界论的价值与意义

以新实在论为思想背景的客观唯心主义思想体系构成了冯友兰新理学的本质基础，在此基础上，冯友兰将直觉体会的感性思考方法（如程颢）和穷神知化的理性思考方法（如张载）融合起来，形成了完全属于自己的一套理学主义的思想体系。陈来指出："冯友兰主张通过哲学理念，由理性自觉其为宇宙的一员，由知天而事天而乐天，最后至于同天的境界，他所说的最高境界虽然包含了神秘主义，其方法确实是强调理性主义的。在这一点上他的学说可以说结合了程颢和张载。因此，冯友兰境界论的特点，不仅在于他提出了人生觉解有四种境界，还在于他所规定的最高境界体现了中国哲学的传统，并把哲学思维这种理性主义方法作为达到最高境界的根本方法。"[①]新理学在本质上仍属于客观唯心主义的范畴，但正如秦英君所说："新理学思想代表了中国现代哲学理论思维发展的一个新方向，它既是对中国传统哲学现代化的一种尝试，又是对西方哲学中国化的可贵探索。"[②]冯友兰对中国现代哲学思维发展的不断探索和尝试，为中国现代哲学的发展作出了卓越的理论贡献，他所起到的作用是不可磨灭的。

客观评价冯友兰的人生境界论，核心应在于把握其积极价值和重要意义。虽说新中国成立后，冯友兰立足马克思主义，重新定义了自身哲学思想体系，并成功运用历史唯物主义思想写出了《中国哲学史新编》，重新书写了中国哲学史，取得了历史性的成就，但人生境界论依旧是其最为重视的核心理论。冯友兰的人生境界论是一套思考人生意义和生命价值的理论体系，其理论启发意义是不能因为其带有客观唯心主义色彩而被否定和忽视的。田文军指出："冯友兰的人生境界论，是一种极富现实价值的人生理论。这样的人生境界理论，既整合了中国人生哲学中

---

① 陈来：《现代中国哲学的追寻》，人民出版社2001年版，第175页。
② 秦英君：《当代中国哲学思想史》，河南大学出版社1999年版，第133页。

最优秀的传统，又在今天的社会生活中具备现实的意义与价值。"[①]尤其是在当今社会，对于人性人心的探索再一次被推到了极其重要的位置，更好地利用和学习冯友兰的人生境界论，从而指导更多人实现自身价值、探索生命意义，是当今哲学理论研究的重要课题。

Feng Youlan's Thoughts on Life and His Theory of Life State

GUAN Xin

(School of Marxism, Henan Agricultural University, Zhengzhou, Henan, 450046)

Abstract: The problem of life is the most important one in philosophy. Any philosopher's reflection on the philosophy will always involve it. It is also an important topic that Chinese philosophers have paid close attention to since modern times. Although Feng Youlan's interest in philosophy came from logic, he believed that the task of philosophy was to improve individual spiritual state. With a further study of philosophy, he gradually started to think about the problem of life, carried out his Neo-Confucianism thoughts, and finally created a unique theory of life state. Feng Youlan's theory of life state has important value and significance in the history of Chinese modern philosophy and great enlightening significance for abandoning the weakness of objective idealism and for people to realize their own value and explore the meaning of life at present.

Key words: Feng Youlan; problem of life; Neo-Confucianism; theory of life state

---

① 田文军：《冯友兰的人生境界论及其现实价值》，《南阳师范学院学报》2014年第1期。

宋明新儒学研究

心与思：王阳明致良知中知识论问题

单 纯

(中国政法大学 人权研究院,北京 100088)

摘 要:儒家通常以伦理议题名世,其知识论亦有明显的伦理特点,主要见于"心"与"思"的论述之中,也扩充于"性""情"和"命",是中国文化传统中"格物致知"和"安身立命"的思想基础,其特色是具有伦理性的知识论。具有"思想"和"伦理"双重功能的"心"发用流行为"天地良心",其"知行合一"的目的则是"修、齐、治、平";而人以"天地万物之心",不仅能思考"天地万物"的物理,而且能体会"天地大德曰生"的伦理,是所谓"尽性命之学"。王阳明将儒家心性学的传统发扬光大,以"致良知"为其思想"大端",揭示了儒家心性本位的知识论所独有的主体性、公平性、实践性和伦理性,映射出了中国人生气勃勃而又多姿多彩的精神世界。

关键词:阳明学;心性;知言;致良知

儒家传统以伦理学见长,而知识论亦有明显的伦理色彩,这从"心"与"思"的辩证分析中可以看出。相比之下,"心"在中国文化中的地位要高于"思"在西方文化中的地位,究其原因,大抵就在于"心"蕴含伦理性知识,即"良知",而非价值中立的"思想"或"智慧"。就其生命意义而言,中国人亦说"哀莫大于心死",犹如西哲苏格拉底言"没有反思,生命即无意义"。鉴于人人皆有心,能发乎思想,感于情理,故"极高明而道中庸"的中国哲学或儒家思想构成了"尽心、知性、立命"这样的"三位一体"思想文化类型,其中尤以王阳明标举的"致良知"而尽显儒家知识论的主体

作者简介:单纯(1956—),男,浙江绍兴人,中国政法大学人权研究院教授、哲学博士、博士研究生导师,主要从事人权法、中国哲学、宗教哲学研究。

性、公平性和实践性特征,构成了伦理取向的知识论。

一、良知:心性的价值取向

在当代学科谱系中,知识的目的是确定性,一如自然科学、社会科学和逻辑规则所追求的客观必然性知识;而伦理的目的却是应然性,一如宗教、人文或艺术所追求的主观必要性。这种学科谱系来源于古希腊亚里士多德的"学科图谱"(aristotelian discipline),是西方本位的思维方式和学问体系。在这种"二元对立"(binary opposition)的思维定式中,源自东方犹太希伯来的文化已被摄入其中。但是,在更遥远的东方,"轴心文明"时代的中国则发展出了独特的"天人之学",其思维模式与西方的正相反,可以名之曰"天人合一",天与人中所蕴含的确定性知识和应然性伦理并无间隔且交融互摄,互相发明且交相辉映,是所谓"尊德性"与"道问学"二者互为"体用"之学,其精神尤见于儒家的"良知"之旨。

儒家学者之中,最早阐发"良知"者是"亚圣"孟子,而发扬光大,定为格式者则是"心学巨擘"王阳明。从孟子发端,经程颢、陆九渊弘扬,至王阳明而卓然鼎立,再到熊十力别开时代生面,"良知"已成为儒家"心性之学"的"思想引擎",不仅推动着儒家思想的返本开新,而且成为中华文明传统中最具生命气息、最有思想活力和最能表达民族情感的核心概念。

孟子曾说:"人之所不学而能者,其良能也;所不虑而知者,其良知也。孩提之童无不知爱其亲者,及其长也,无不知敬其兄也。亲亲,仁也;敬长,义也;无他,达之天下也。"[①]这里所标举的"良能""良知"是中国人关乎生命的智慧,不是对外在客观世界现象的经验性观察和逻辑总括,与机械论意义上的"能"和知识论意义上的"知"有本质的区别,是人对自己生命体验的主观感悟,具有伦理学意义上的"应然性",如其不然,则人即等同于动物或机器。西方人喜欢从科学的角度定义人,或称其为"高等动物",或喻"人是机器"(L'homme-Machine),而孟子则从"伦理应然性"方面强调人的社会特性,以示其与动物性和生理机能性的区别,揭示儒家学说人伦价值优先于生物事实的哲学特征。

---

① 杨伯峻:《白话四书》,岳麓书社1989年版,第448页。

不仅如此，儒家心性学脉确证，知识论的"知"在人的生命里没有客观独立的"自体性"，总是与"应然性"的主观判断相联系。孟子的学生公孙丑问："敢问夫子恶乎长？"孟子回答说自己仅长于两个方面，其一"我知言"，其二"我善养吾浩然之气"①。所谓"知言"就是中国术语的知识论，对应的西方词语是"epistemology"，相应的佛学概念是"般若"（prajna），近代中国人将西方的"epistemology"翻译成"知识论"，大体上撷取了儒家"知言"的"知"和佛教"唯识"的"识"，对于儒家"知言"中所蕴含的伦理信息及佛教所蕴含的宇宙生成信息皆刻意略除。孟子在解释"知言"时说，"诐辞知其所蔽，淫辞知其所陷，邪辞知其所离，遁辞知其所穷"②，对"言辞"所表达的思想的确定性并不在意，而是专注于其伦理性方面的"蔽、陷、离、穷"；西方近代哲学的"转向"可以称为"语言学转向"（linguistic turn）或"知识论转向"（epistemological turn），而中国近代哲学的转向却离不开儒家的"修、齐、治、平"基调，无论是孙中山的"三民主义"还是共产党人的"新民主主义"，即便学院气息较浓的"新理学体系"，也仍然将"新知言"的知识论与"新原人"的人生境界论有机融为一体。这也可视为孟子"知言"和"养浩然之气"的"大丈夫"思想的近代哲学转向，其间王阳明的"致良知"学说已作了"别开生面"的历史性阐发。

关于"良知"，王阳明解释说："夫人者，天地之心。天地万物，本吾一体者也，生民之困苦荼毒，孰非疾痛之切于吾身者乎？不知吾身之疾痛，无是非之心者也。是非之心，不虑而知，不学而能，所谓良知也。良知之在人心，无间于圣愚，天下古今之所同也。世之君子惟务致其良知，则自能公是非，同好恶，视人犹己，视国犹家，而以天地万物为一体，求天下无治，不可得矣。"③他认为，这种带有伦理意味的知识，是人的普遍本性，是心的自然功能，也是人的社会使命感。相对而言，西方人的知识论可以停留在"认识客观世界"或"逻辑"的"爱智慧"层面，而中国人的知识论绝不会停留在"格物致知"层面，而阻断于"治国、平天下"，一定会"发用流行"于天地间；心性知识，言善行义，即如江河奔放，沛然莫之能御！

另一方面，"知"既然不离于"良"，就说明它不是"价值中立"的（value-free），而

---

① 杨伯峻：《白话四书》，岳麓书社 1989 年版，第 387 页。
② 杨伯峻：《白话四书》，岳麓书社 1989 年版，第 387 页。
③ ［明］王守仁：《王阳明全集》（上），上海古籍出版社 1992 年版，第 79 页。

是人表达其确定性知识的一种价值诉求,是中国人"致力于学"的伦理动机,而非西方哲人对于客观事物或逻辑规则的"好奇"(wondering),其"格物致知"总归以"修、齐、治、平"为其"大端",无此"究天人之际"的"大端",势必落入枝枝节节的窠臼:"圣人之学,所以至简至易,易知易从,易学易能,而以成才者,正以大端惟在复心体之同然,而知识技能,非所与论也。"①儒家"道问学"的传统,自来讲究"先立乎其大者";孟子在解释"大人""小人"的差别时说:"耳目之官不思,而蔽于物。物交物,则引之而已矣。心之官则思,思则得之,不思则不得也。此天之所与我者。先立乎其大者,则其小者不能夺也。此为大人而已矣。"②照他的判断,人的认知器官有两大类:一类为耳目,以其聪明接物,易得物体之表象知识,即"闻见之知,非德性之知,物交物则知之,非内也,今之所谓博物多能者是也,德性之知,不假闻见"③。另一类为心,心知则通天命之性,是德性之知,即《周易》中的"天地之大德,曰生"。无论从构字皆有"心"为基底或"竖心"为旁侧,还是表意——立、走、路径、生命等,"心"字或形旁皆具人伦旨趣,其所谓"大者",是对"知识"的伦理约束,即"明体",无此伦理约束的"知识",则易沦为"奇技淫巧"。近代西学进入中国以及洋务运动中的"船坚炮利"和变法图强、改制立宪等努力,曾引起"中学为体,西学为用"的激烈辩论,在思想本质上也折射出心性良知的独特品质,尤其在与"价值中立"的西方知识论传统相对照之际。

相对于佛教知识论的"因明"逻辑性和西方知识论的物理性,中国儒家知识论的特征表现为"心性"或"良知",凸显的是伦理性。按照西方中世纪犹太哲人迈蒙尼德在《逻辑技艺论》(Treatise on the Art of Logic Millothahiggayon)的知识类型说,哲学可分为两大部类:理论哲学与实践哲学,理论哲学再细分为数学、物理学和神学,而实践哲学则可细分为修身(man's governance of himself)、齐家(governance of the household)、治邦(governance of the city)和治理大民族或(多个)民族(government of the great [numerous] nation or of the nations)或天下这四个基干部分④。类

---

① [明]王守仁:《王阳明全集》(上),上海古籍出版社1992年版,第55页。
② 杨伯峻:《白话四书》,岳麓书社1989年版,第438—439页。
③ 程颢、程颐:《二程集》(上),中华书局2004年版,第317页。
④ [美]施特劳斯:《什么是政治哲学》,华夏出版社2014年版,第145页。

比之下,儒家的心性学和良知论则是典型的实践哲学,其心性和良知的发用流行,正是"修、齐、治、平"之旨。王阳明曾以"良知"二字提炼出儒家思想的精义,他说:"区区所论'致知'二字,乃是孔门正法眼藏,于此见得真的,直是建诸天地而不悖,质诸鬼神而无疑,考诸三王而不谬,百世以俟圣人而不惑!知此者,方谓之知道;得此者,方谓之有德。异此而学,即谓之异端;离此而说,即谓之邪说;迷此而行,即谓之冥行。"①他是深谙中国实践哲学"大端"的"三立完人",以"致良知"为其生命宗旨,以之警示学者莫入旁门左道以至于自陷于穷途末路。

二、良知:知识的公平性

在心性学的知识伦理中,良知发端于心,激荡于心,观照于心,大成于心。这与西方价值中立的知识论来源大不相同,因西方文化认为知识发端于头脑,是头脑思索的结果。头脑有思索的逻辑功能,对外在客观世界是"观察"(speculation),对内在的主观世界则是"反思(reflection)",集思广益则被称为"头脑风暴(brainstorming)"或"聚首(putting heads together)",在此"头脑"智力下获得的知识都有多寡、正误、深浅等特性,唯独与"善良"或"邪恶"的特性无涉,即"价值中立",以示与"伦理"或"道德"之别。不过,按照儒家"心性论"的传统,头脑的诸功能是由心驱动的,不惟"心之官则思",而且"思想""意念""志愿"等头脑功能都以"心"字为其构字基础,其他举凡与人的生理和心理相关的概念,亦多为竖心旁,如"性""情""悟""遗憾""怠慢""愤恨""怜悯""惊惧""恐怖"等,这些人的主体性功能的概念或知识的表达,这些心字构造的词语都是不可或缺的,否则中国人的生活画卷一定会死气沉沉,了无情趣。特别是作为伦理核心的"爱",要是失去了其中的"心",那就不成其为人伦了。

这些"涉心"的文字,既是中国知识分子或者儒家哲学的思想载体,也是中国"愚夫愚妇"的生命内涵,因为它有个生命的逻辑假设,即陆九渊强调的"人皆有是心,心皆具是理,心即理也……所贵乎学者,为欲穷此理,尽此心也"②。西方人讲

---

① [明]王守仁:《王阳明全集》(上),上海古籍出版社1992年版,第185页。
② [宋]陆九渊:《陆九渊集》,中华书局1980年版,第149页。

"机会只青睐有准备的人"(chance favors only the prepared mind),此"有准备的人"原意是"准备好的头脑",即"头脑灵活和训练有素的人",是"知识就是力量"或"知识改变命运"的一种转喻说法,但获取知识的头脑亦依赖于许多外在的机会性条件,强调的是机会的偏爱性,而非知识的自然公平性。而中国百姓更喜欢的说法则是"世上无难事,只怕有心人""有志者,事竟成",其中"心"和"志"都富有自然的公平性和伦理的主体性,不分圣贤、智愚,是所谓"心性面前,人人平等"。

照孟子的说法,"人皆有四端之心":"无恻隐之心,非人也;无羞恶之心,非人也;无辞让之心,非人也;无是非之心,非人也。恻隐之心,仁之端也;羞恶之心,义之端也;辞让之心,礼之端也;是非之心,智之端也。"[1]发源于"四端之心"的知识都是伦理性的、自然性的和公平性的,其中"是非之心",倒是有价值中立的知识论意味,其他三项则明确属于伦理性的,因而是公平的。及至陆九渊讲"宇宙便是吾心,吾心即是宇宙。东海有圣人出焉,此心同也,此理同也。西海有圣人出焉,此心同也,此理同也。千百世之上至千百世之下,有圣人出焉,此心此理,亦莫不同也"[2],则是将"心"的知识功能转化成了公平的伦理,以至于中国大字不识几个的老百姓也知道"人同此心,心同此理"或"将心比心"的人伦日用之理。

贯穿于生活经验中的知识,既有自然的公平性,又具实践的伦理性。西方文化中所信仰的"上帝以自己的形象造人"(the creation in the image of God),因而人人身上都有神性,在情感上西方人相信"上帝面前人人平等"。反观中国文化,儒家的宇宙生成论则是自然取向的,所谓"天生烝民,有物有则,民之秉彝,好是懿德"[3];天生万物,万物皆具天性,因而也是"天道面前,万物平等",正所谓"天道敏生,人道敏政,地道敏树"[4]。孔子将自然与社会中的平等生存权利解释为"敏"字,与犹太—基督教传统中的"神性见证"或"道成肉身"十分相似,不过犹太—基督教传统中"神性的自然公平"有很大的局限性,往往到先知或耶稣为止,不像儒家"敏感"到自然万物和社会每一分子。根据儒家宇宙生成论,每一种自然生命都代表着一种道

---

[1] 杨伯峻:《白话四书》,岳麓书社1989年版,第390页。
[2] [宋]陆九渊:《陆九渊集》,中华书局1980年版,第483页。
[3] 吴树平、赖长扬:《白话四书五经》(第三卷),国际文化出版公司1992年版,第314页。
[4] 王盛元译注:《孔子家语》,上海三联书店2012年版,第206页。

德知识,即《周易》中的"生生之德"。这种知识不是一种"神迹",用不着先知的"启示",也无须在生活实践之外另寻对"恩宠"的神学解释,完全是对生命的直觉体验。这种关乎生命的伦理知识公平地存在于每一个人心中,王阳明用两段诗文对此给予简明扼要的阐释:

其一曰:

个个人心有仲尼,自将闻见苦遮迷。而今指与真头面,只是良知更莫疑。

问君何事日憧憧?烦恼场中错用功。莫道圣门无口诀,良知两字是参同。

人人自有定盘针,万化根源总在心。却笑从前颠倒见,枝枝叶叶外头寻。

无声无臭独知时,此是乾坤万有基。抛却自家无尽藏,沿门持钵效贫儿。①

其二曰:

绵绵圣学已千年,两字良知是口传。欲识浑沦无斧凿,须从规矩出方圆。

不离日用常行内,直造先天未画前。握手临歧更何语?殷勤莫愧别离筵!②

王阳明对学生的不断提示表明,他首先强调的是"良知"这种知识性伦理的自然公平性,在圣贤和愚夫愚妇心中具有同样的"自然神性",那就是生命的"自然基因",有了这个基本的生命自信,剩下的就需要在生活实践中去磨炼了。他说"路之险夷必履之而后知",即是承认"良知"对人具有天生的公平性,也有后天的实践性,必然通过生命过程中的实践性,而体会天生的公平性,故当在此"下一转语",将"良知"与"致"结合起来。春秋时,鲁国的贵族叔孙豹以不朽之论,提示生命知识的自然性和伦理性,说:"太上有立德,其次有立功,其次有立言。虽久不废,此之谓不朽。"③他以立德为不朽之首,激励儒家的人在生命实践中不断丰富伦理知识的内涵和权威,遂有信诚、廉耻、辞让、忠恕、仁爱、存敬、体谅等一系列德目进入中国人的"良知"领域,形成中国文化特有的伦理性知识论格局。在下自凡夫俗子、愚夫愚妇,上达圣贤贵人的生命实践中,"良知不由见闻而有,而见闻莫非良知之用,故良知不滞于见闻,而亦不离于见闻。孔子云:'吾有知乎哉?无知也。'良知之外,别无知矣。故'致良知'是学问大头脑,是圣人教人第一义。今云专求之见闻之末,则是

---

① [明]王守仁:《王阳明全集》(上),上海古籍出版社1992年版,第790页。
② [明]王守仁:《王阳明全集》(上),上海古籍出版社1992年版,第791页。
③ 吴树平、赖长扬:《白话四书五经》(第四卷),国际文化出版公司1992年版,第432页。

失却头脑,而已落在第二义矣。近时同志中盖已莫不知有致良知之说,让其功夫尚多鹘突者,正是欠此一问。大抵学问功夫只要主意头脑是当,若主意头脑专以致良知为事,则凡多闻多见,莫非致良知之功。盖日用之间,见闻酬酢,虽千头万绪,莫非良知之发用流行,除却见闻酬酢,亦无良知可致矣,故只是一事"①。人活着,都有心思,都有生命实践,因此也都有心去反思生命实践,这是不受外界其他条件限制的公平权利,西方人认为这是区别于神和法律的"自然权利(natural rights)",实际是信仰权利,而在中国人看来,这是"良知"权利、道德权利、生命权利和思想权利,故而中国人以"天人合一"的思维定式将之翻译为"天赋人权",表现出丰富的人文、道德和主体知识,这或许是当下西方客观知识体系、宗教启示性知识体系进入中国社会时,王阳明的"良知"说更受中国人的青睐、更能表达中国人民族文化情怀的原因吧!

三、致良知:知识的实践性

"良知"概念,自孟子提出,经陆九渊阐发,到王阳明臻于完备,而标出"致良知"的实践性和鲜活的生命力,中国儒家学问的"修、齐、治、平"特色益加光彩粲然。它来源于"日用常行",也回馈于"洒扫应对",是儒家安身立命的学问,以别于西方"寻根究底"的价值中立的知识之学。

自宋学道统中心学与理学相互攻讦以来,理学的"支离"多被诟病陷于"格物致知",自隔于"修、齐、治、平",流于"烦琐"而不得儒家"经世致用"之真谛;同样,心学的"先立乎其大",亦容易流于"大而无当",没有"格物致知"的经验基础,难逃"空疏"之讥。照理学家讲,道理"森然于方寸之间",乃是"方寸之心"一点点动心思量的结果,没有"格物"的功夫,如何能把握"充塞宇宙"的道理呢?宇宙"万象森然",充满自然而公平的生命信息,由心体会于此,必得"大公无私"的宇宙知识,"大公"是以"宇宙生命"的公共伦理为大,是一种认识的价值取向,可以分辨出"动心思"者的"良莠贤愚"层次:"心之良知是谓圣。圣人之学,惟是致此良知而已。自然而致之者,圣人也;勉然而致之者,贤人也;自蔽自昧而不肯致之者,愚不肖者也。

---

① [明]王守仁:《王阳明全集》(上),上海古籍出版社1992年版,第71页。

愚不肖者,虽其蔽昧之极,良知又未尝不存也。苟能致之,即与圣人无异矣。此良知所以为圣愚之同具,而人皆可以为尧舜者,以此也。是故致良知之外无学矣。"①大体上言,宋儒道学中"理学""心学"两派正反攻错,经过两派后学的争辩,至王阳明标出"致良知",已经见到了突破"支离"和"空疏"互为樊篱的曙光。及至冯友兰新理学体系以"心学"为道学的"目标","理学"为道学的"手段",目标和手段毫无冲突之必要,而且是相互为用的统一,故"新知言"与"新原人"、知识论与人生境界论交融升华为"新理学",一如他说西方当代哲学流派中,"实用主义"可以成为发现真理的知识论,而"新实在论"则是真理的本体论,二者之间的冲突是多余的,而统一则是必然的。

历史上孟子以"四辞"讲"知言"的知识论时,就有明显的伦理特色,惜乎在其他语境他于此并无深入阐发,以至于"心学"中"知言"的知识论在冯友兰以"新知言"祭出近代中国哲学的知识论之前,理学的"格致学"或近代张岱年气学特色的"致知论"成为更为引人注目的儒家特色的知识论。由于西方哲学传统中,知识论与认识论可以交互指代,而在当代中国语境中,认识论又成了马克思主义体系或某些西方哲学体系的专有名词,仿佛中国传统哲学或儒家哲学极少讲到知识论,而是独立于知识论在那里讲论理学或人生论。其实,这中间存在一个知识论谱系的误区,殊不知王阳明的"致良知"就是儒家特色的知识论,而且是儒家哲学中承上启下的知识论,特别是以人的社会伦理实践见长。相对于西哲经头脑观察现象或逻辑规律的确定性知识而言,王阳明强调经过"心思"而获得"良知"的应然性,他认为这是从孔子"思无邪"所作的引发。当学生问他:"'思无邪'一言,如何便盖得三百篇之义?"他说:"岂特三百篇,六经只此一言便可该贯,以至穷古今天下圣贤的话,'思无邪'一言也可该贯。此外更有何说?此是一了百当的功夫。"②在他看来,"思无邪"就是"致良知",是知识论的全部实践奥义,是做圣贤的德性之知,而非耳聪目明的闻见之知。

与孟子"四辞"的伦理蕴含不同,荀子的"知言"中则有"言而当,知也;默而当,

---

① [明]王守仁:《王阳明全集》(上),上海古籍出版社1992年版,第280页。
② [明]王守仁:《王阳明全集》(上),上海古籍出版社1992年版,第102页。

亦知也"①之说,其蕴含既可以指伦理方面,亦可以指物理方面,但通常荀子被当作儒家传统中"气论"思想的重镇,将"气"置于水火、草木、禽兽、人这个自然进化系统的开端并贯穿始终,所以他的"言知"和"默知"更多地是从客观物的知识确定性而言的。而王阳明"致良知"的实践也会碰到"知言"和"默知"的问题,因此,他提出了"四伪"的说法,从更深的层次揭示了知识的实践性和伦理性:"夫默有四伪:疑而不知问,蔽而不知辩,冥然以自罔,谓之默之愚;以不言饴人者,谓之默之狡;虑人之觇其长短也,掩覆以为默,谓之默之诬;深为之情,厚为之貌,渊毒阱狠,自托于默以售其奸者,谓之默之贼;夫是之谓四伪。"②这些解释都是从"致良知"的"负的方面"说明知识的伦理性,是围绕人伦社会关系而作的观察和推论,与西方知识论用"否定排除法"获取知识的确定性正相反,亦显示出佛教知识论中"言语道断,心行处灭"的辩证思维。三教互摄的中国哲学传统有"朱子道,陆子禅"的说法,陆王心学的知识论除了自身的伦理底色,思辨方法上亦见禅宗"有拟议即乖""第一义不可说"等"默照"的影响,不过王阳明的"四伪"却作了"致良知"的"孤鸣独发"。

"致良知"的实践性还特别见于王阳明对"官制"的伦理限制性解释。王学门人徐爱曾问:"'尽心知性'何以为'生知安行'?"王阳明即答:"性是心之体,天是性之原,尽心即是尽性。'惟天下至诚为能尽其性,知天地之化育。'存心者,心有未尽也。知天,如知州、知县之知,是自己分上事,已与天为一;事天,如子之事父,臣之事君,须是恭敬奉承,然后能无失,尚与天为二,此便是圣贤之别。"③"知"不在事务上磨炼,不推延至宇宙万物的生命伦理,那都不能算"尽性",更不及"至命","心"自然也就限隔于事,流于见闻之知。20世纪40年代,以西方知识论见长的哲学家金岳霖在剑桥大学答问时,称"哲学是概念的游戏",颇使中国的哲学家大惑不解,因为他是从知识论方面来定义哲学,只是"哲学在中国",而不是"中国的哲学",因为后者是建立在"致良知"的伦理性知识论上的。就像中国的官制一样,因为是按照儒家伦理的科举制度选派的官职,无论"知事""知县""知州""知府",都受"知"

---

① 王森译释:《荀子白话今译》,中国书店1992年版,第51页。
② [明]王守仁:《王阳明全集》(上),上海古籍出版社1992年版,第258页。
③ [明]王守仁:《王阳明全集》(上),上海古籍出版社1992年版,第5页。

的约束,即没有"良知",官职的大小级别即失去了"政治正确性"和"程序合法性",这是孟子"民贵君轻"和"天爵人爵"的政治伦理在制度上的反映。中国的社会实践和制度设计都是"致良知"的实践,中国历史上的官衔,从知事到天子,其"政治正确性"和"程序合法性"都体现在"天良"的伦理性知识之中,从"天民百姓"的"替天行道"到"天子"的"口吐天宪""奉天承运","致良知"所蕴含的伦理约束性处处显而易见,百姓或天子或许会"日用而不知",但是王阳明的心里却照如明镜:"盖'知天'之'知'如'知州''知县'之'知',知州则一州之事皆己事也,知县则一县之事皆己事也,是与天为一者也;事天则如子之事父,臣之事君,犹与天为二也。天之所以命于我者,心也,性也,吾但存之而不敢失,养之而不敢害,如父母全而生之、子全而归之者也;故曰'此学知利行,贤人之事也。'"①百姓的人伦日用,政府的科层管理,无处不是"致良知"的"道场",儒家哲学的"入世性"和儒学知识的"伦理性"于"良知"之"致",而形成宋儒憧憬的"合内外之道",其要旨是"俯而读,仰而思,起而行"。

"良知"见诸实践之"致",最为基础的是"立志",即儒家所谓做人当有志气。先秦儒道的哲人都以为宇宙万物统一于气,自周太史伯阳父讲"天地之气",至《庄子》中的"通天下一气耳",到张载的"太虚即气",生机勃勃的宇宙不过是一大"气化流行"的过程,再到文天祥的《正气歌》,发端于孟子的"尽心、知言、养气、大丈夫"的"良知"之说,至此已达志气高远的"极致"。读《正气歌》中列举的那些"惊天地、泣鬼神"的"志士仁人"的故事,这些思想情愫不能不令王阳明产生思想共鸣,及至他标榜"致良知"为"知行合一"的大间架,我们不能不赞叹其所激发的人生哲学是将宇宙论、知识论和人生观三者紧密联系在一起的中国特色的实践哲学体系,浸淫于其中的人,都是在"为天地立心"的人。王阳明十分自信地说:"人者,天地万物之心也;心者,天地万物之主也。心即天,言心则天地万物皆举之矣,而又亲切简易。故不若言'人之为学,求尽乎心而已'。"②中国人喜欢以"心气"评价人的生命志向,背后也蕴含着丰富的世界观与人生观圆融无碍的实践伦理,激励人想问题、

---

① [明]王守仁:《王阳明全集》(上),上海古籍出版社1992年版,第43—44页。
② [明]王守仁:《王阳明全集》(上),上海古籍出版社1992年版,第214页。

做事情志存高远、大气磅礴。相反,心胸狭窄,总免不了"小家子"的俗气和晦气。照王阳明"致良知"的讲法,就是"主气"与"客气"之辩:"客与主对,让尽所对之宾,而安心居于卑末,又能尽心尽力供养诸宾,宾有失错,又能包容,此主气也。惟恐人加于吾之上,惟恐人怠慢我,此是客气。谦虚之功与胜心正相反。人有胜心,为子则不能孝,为臣则不能敬,为弟则不能恭,为朋友则不能相信相下。至于为君亦未仁,为父亦未慈,为兄亦不能友。人之恶行,虽有大小,皆由胜心出,胜心一坚,则不复有改过徙义之功矣。"[1]他所谓"主气",是指人"志于道"而有的那种"天地之心"的情怀,体会的是"大德敦化,小德川流"的"并行不悖"之道,是宇宙生命层面的"生生之德",而非"你死我活,适者生存"的"丛林法则",其于美国人沾沾自喜的"live and let live(与人共存,和平相处)"全球伦理精神不可不谓"先发"而"洞明"。相反,人生没有志气,行为斤斤计较,则为王阳明所责难的"客气"。本来儒家的"心性学"就是强调主体性、公平性、实践性和超越性的伦理本位的知识论,它的旨趣就是涵养"主气",而超越"客气",一旦落入"客气",则人心就"自限"于"方寸之间",失去了"天地之心"的伦理品质,成为自囚于"私心杂念"的小人。人生在世,当做"顶天立地""浩然正气"的"大丈夫",这是"主气";反之,"心胸狭窄""鼠目寸光",脱不了"乡愿""小人"的俗气,那就是"客气"。一个人自信、自立、自强、自尊就应当涵养"主气";反之,"客气"则会寄生于他人的意志和施舍,是不自信、不自立、不自强、不自尊的表现,在生活实践中必然会"众叛亲离""寸步难行"。所以,"主气"是"致良知"的道德功夫,而"客气"是"致良知"的道德陷阱,于此,践履"良知"者,当知所取鉴。

结　语

"良知"为中国文化的"心识"所体现,而非西方文化的"意识"所推论;它发源于心,重主体,重体验,重情感,重伦理之应然性,是中国人"开拓万古之心胸"的人文世界,而西方文化发源于脑,重客体,重思考,重理性,重科学之确定性,利于控制和改造自然世界,但其风险则是将主体的人客体化、工具化,此近代哲人康德之深

---

[1] [明]王守仁:《王阳明全集》(下),上海古籍出版社1992年版,第1183页。

为忧虑者,遂作西人思想的狮子吼:"人是目的本身,而不是达到目的的手段!"这是人文价值取向的警示,西方近代的"知识论转向"之后再次受到罗尔斯"正义论转向"的挑战,出现了"后现代主义"矫正近代"启蒙理性"的伦理化趋势,这也间接激活了中国哲学界对儒家"心性学"的研究兴趣,不啻为寻求解决当代文明冲突方案的全球治理开拓了一个东方特色的思想路径:以"致良知"为号召,倡导心通,则理通;理通,则路海通;路海通,则财富通;财富通,则政治通;政治通,则命运通;命运通,则天下同。从近代思想家憧憬的"天下大同",到当代中国政治家提出的"人类命运共同体",烛照于"致良知"的伦理性知识,不可不谓"人同此心,心同此理""理有固然,势所必至"。

Mind and Reflection:Wang Yangming's Theory of Knowledge in the Extension of the Intuitive Knowledge

SHAN Chun

(Institute of Human Rights, China University of Political Science and Law, Beijing, 100088)

Abstract: The Confucianism has a reputation for its ethics. Its theory of knowledge has obvious ethical features, which mainly appears in the discussion of mind and reflection as well as nature, temper and fate. It thus constitutes the base for the "investigation of things", the "extension of knowledge" and "realizing one's ultimate concern" in traditional Chinese culture, which shows characteristic of ethical theory of knowledge. Mind with functions of both "thought"and "ethics"developed into conscience. The aim of its unity of knowledge and action is cultivation of the self, regulation of the family, setting in order of the state and bringing of peace to the world. Humans with broad mind can not only think about principle of things, but also feel the ethic of "The supreme virtue of Heaven is to produce", which is called "theory of nature and fate". Wang Yangming developed the traditional Confucian theory of mind-nature. With the Extension of the Intuitive Knowledge as the important part of his thoughts, he revealed the unique subjectivity, fairness, practicality and ethics of Confucian theory of knowledge, and reflected vigorous and colorful spiritual world of Chinese people.

Key words: Yangming's theory; mind and nature; word-implication; the Extension of the Intuitive Knowledge

王阳明书院教育思想新论

简 东

(郑州大学 文学院,河南 郑州 450001)

摘 要:在王阳明的思想体系中,有相当一部分内容是关于教育的,尤其是书院教育。出于宣扬自己学术主张的现实需要,并结合当时书院发展的历史背景,可以说王阳明一生的教学经历与书院之间有着千丝万缕的密切联系。而王阳明书院教育思想的形成与完善正是在其长期教学经历、学术传播实践中展开并获得的,同时其个人性格和魅力也为其书院教育思想增添了更为个性化的色彩。王阳明书院教育思想具有鲜明的形式和特征,对其后心学的传承传播、书院制度的建设均有突出贡献,以及对明后期到清代的书院发展乃至整个国家教育都有深刻影响。然而目前学界对此的研究程度并不够系统、全面、充分,故有必要广泛、细致地梳理相关传世文献,对其书院教育思想进行一次明确的辨析,以实现文史与思想的会通。

关键词:王阳明;书院;教育思想;辨析;会通

书院是中国古代别具特色的文教组织机构,它从中唐至清末,在历史舞台上活跃了千余年。虽然其在不同历史时期功能有所不同,但综合看来它是集藏书、校刻书、雅集、讲学、祭祀、课试、研究等于一体的场所,其性质也随着历史发展的需要由最初私立、有别于官学又互补于官学渐渐演变为官方控制、主导下的特色教育系统。明代是书院发展史上的一个重要时期,这一时期书院的发展常常受到儒家不同学派的影响,而王阳明在明朝中期书院的大发展中无疑具有重要的影响。出于

作者简介:简东(1990—),男,河南信阳人,郑州大学文学院2016级中国古典文献学专业博士研究生,主要从事明清文学与文献研究。

宣扬自己学术主张的现实需要,并结合当时书院发展的历史背景,可以说王阳明一生的教学经历与书院之间有着千丝万缕的密切联系。而王阳明书院教育思想的形成与完善正是在其长期教学经历、学术传播实践中展开并获得的,同时其个人魅力也为其书院教育思想增添了更为个性化的色彩。

一、王阳明书院教育思想的形成与完善

(一) 书院发展形势与阳明教学经历

在叙述阳明教学经历与参与书院实践之前,首先需了解当时书院的发展形势。明代书院的发展,依樊克政先生的观点可分为以下三个时期:一、洪武至天顺间(1457—1464),书院的沉寂;二、成、弘、正、嘉间(1465—1566),书院的振兴及嘉靖禁毁书院;三、隆庆以后(1567—1644),书院的不断发展和两次禁毁[1]。其中,书院在嘉靖前期曾一度达至极盛,但在嘉靖十六年、十七年(1537、1538),中央下令禁毁,不过没能在整体上妨碍书院的发展。而这一时期书院的快速发展并一度极盛,虽遭禁毁但还在持续壮大的原因都与王阳明有莫大的关系。

王阳明于正德元年(1506)的前一年开始在京师边关注时事边聚众授徒讲学。此时王阳明在京城的政界和学界仅仅是初露锋芒。不久朱厚照即位,宦官刘瑾弄权,朝政日非。南京科道给事中戴铣和御史薄彦徽等谏言上疏,反遭刘瑾打压迫害。刘将二人投监严刑拷打,致戴铣死于狱中。王阳明得知后即抗疏营救,结果也因得罪刘瑾而被贬谪为贵州龙场驿丞。正德二年(1507),在王阳明赴贵州途中,刘瑾又派人企图暗中加害。王阳明历尽艰险最终于正德三年(1508)春辗转到达龙场驿,然该地的环境更为恶劣:黔地西北万山丛莽之中瘴疠弥天,蛇虺遍地;道路崎岖,语言不通。可纵使如此,王阳明仍凭其坚毅战胜了环境和命运的双重险阻。同时,正是在龙场驿这座人间炼狱中阳明迎来了他学术的涅槃。故而学界认定龙场驿就是王阳明学术思想的转折点。其实从长远来看,这也将为其日后的书院授学打下坚实的基础。阳明未至黔地时虽疑朱熹学说而崇奉陆九渊心学,但仍无法彻底丢掉朱子格物穷理之说。阳明在龙场驿中:

---

[1] 具体请参看樊克政《书院史话》,社会科学文献出版社2012年版。

> 日夜端居澄默，以求静一，久之，胸中洒洒……忽中夜大悟格物致知之旨，寤寐中若有人语之者，不觉乡(呼)跃，从者皆惊。始知圣人之道，吾性自足，向之求理于事物者，误也。①

杜牧在《登池州九峰楼寄张祜》一诗中曾写道："睫在眼前长不见，道非身外更何求？"这样的一句诗就颇合王阳明"龙场悟道"的心境。阳明于艰苦的磨难和静默的体味中开悟：往日受朱熹误导向身外求道，格物穷理竟是错的，本来就应反求诸己，就像求生于山野危境一样，最终还得靠自我拯救！后来阳明在《书汪进之太极岩二首》中也说过，"人人有个圆圈在，莫向蒲团坐死灰"。要改变命运，求神拜佛皆无用，只能求助自己。龙场悟道使得阳明彻底丢掉了朱熹的格物致知，明确提出"顿悟"与"心即理"，认为功到自然悟，无论外在多么恶劣，只要内心百折不挠、足够坚毅顽强，就能依托对自我的战胜去平定外在，以使主观精神大获全胜。

正是有了这种学术思想上的巨大转变，阳明的书院教育才开始出现新的契机。龙场悟道后，阳明与当地朋友的交往更加频繁、密切，在他们为阳明修建新屋取代潮湿洞穴以改善居所的时候，阳明适时提出了营造书院的倡议，并最终指导他们兴修了龙冈书院。不仅在书院亲身授徒讲学，阳明更是高屋建瓴、立意长远，悉心撰写出日后在众多书院中引发强烈反响的《教条示龙场诸生》一文，为生徒们制定学规，敦促众生以"立志、勤学、改过、责善"来自励。学规充分展现出了阳明心学精神：对个人身心修养功夫的关切，尽全力以心中善念驱除恶欲。可以说，阳明虽34岁在京时就开始授徒讲学，但通过自己创办书院来进行，应是自龙冈始。

接着，正德四年(1509)，阳明在贵州提学副使席书的邀约下主持贵阳书院②，并在讲学过程中传播"知行合一"的学说。后面还会讲到，阳明给人的感觉似乎是他身在官场却一直醉心于学术。他可以边仕边讲，也可以羁旅随讲，还可以在指挥战争的间隙讲。尤其是他的边仕边讲，容易让人产生他在学术和官场间徘徊不定的错觉。但细究起来则会发现，正是因为阳明在学理上主张知行合一，现实中官、学二者也必然走向一体整合。阳明欲宣扬其心学理论，他就必须躬行贯彻，如斯方可

---

① 《王阳明全集·王阳明年谱》(上)，大东书局1935年版，第6页。
② 即后来的文明书院。

真正做到知行合一。因而阳明的跌宕官、学事实上可解释为出于"知行合一"的实践需要。这一点对于阳明的书院教育而言颇为重要,一方面正是由于力倡"知行合一",阳明才不断将心学理论转化为书院教学实践,而整个讲学的过程中他也在不断地躬行贯彻;另一方面其在政治和学术上双重敏感,致使其虽在政治、军事上起落无常但对朝廷的裨益巨大,并且在学理和书院教育方面作出了"朱熹之后无出其右"的贡献,在朱熹之后把理学再推新高峰的同时,也把书院教育推向了一个时代的繁荣兴盛。

除龙冈书院外,正德十三年(1518),他任南赣巡抚之时与知府邢㧑重修濂溪书院;嘉靖三年(1524),阳明联合当地郡守南大吉在绍兴卧龙山西冈建稽山书院。稽山书院可称作阳明所建书院中教学成果最显、效应最大的一座书院。书院甫立,湖广、广东、直隶、南赣、安福、新会和泰和等地近三百学子闻风景从,慕名而来。生徒从十余岁的少年到年近古稀的老者不一而足。当时情形正如文献所载:"(阳明)只发《大学》万物同体之旨,使人各求本性,致极良知,以止于至善;辜负有得,则因方设教,故人人悦其易从。"①稽山书院几近成为阳明学派和姚江王学的渊薮,明中后期许多著名的学术领袖均曾学于此。嘉靖四年(1525),阳明在越城修建了阳明书院。嘉靖七年(1528),阳明在平定广西少数民族民变后,又在南宁创办了敷文书院。敷文书院是阳明把道德教化寓于书院教育以实现"诞敷文德",防止人们"肆恶纵情、遂相侵暴"的重要举措。他在《何陋轩记》中批驳了"居夷鄙陋"和"蛮夷不可化"的谬论,主张对苗、彝等少数民族进行"教化",引导他们回归心之本体——良知。他言:"(夷民)方若未琢之璞,未绳之木,虽粗砺顽梗,而椎斧尚有施也,安可陋之?"如果对他们施以教化之手段,则"其化之也盖易"②。

(二)阳明心学对书院教育的影响

阳明在学坛初露锋芒之时,由于其心学反思、批判的对象是处于正统地位、渐成明官方意识形态的程朱理学思想,故其传播已说难以在朝廷体制内的任何一种官学机构、组织中进行。而当时官学的教育内容亦来源于程朱理学,它自身正日益

---

① 《王阳明全集·王阳明年谱》(上),大东书局1935年版,第48页。
② 《王阳明全集》,上海古籍出版社1997年版,第890页。

沦为科举制度之附庸。如是,心学便因对理学补偏纠弊的鲜明色彩自然很难在官学教育体系中获得足够的生存发展空间。故而阳明及其弟子、后学在传播心学思想时,常常选择学术环境略为宽松、处于社会意识形态网络相对边缘地位的书院作为平台和载体。这样就将书院作为了萃聚儒学力量、进行心学建构与倡扬活动的主阵地,一如其所言:"书院之建,譬如于军伍中择其精锐者别为一营耳。"①

阳明这种非官方的私人化收徒讲学诚然也被视为偏离主流、离经叛道的行径,虽在阳明之前,陈白沙、胡居仁、薛瑄等人已开始着手复兴沉寂多时的书院教育,但他们的书院教育活动势单力薄,仅恢复了书院教育的形式,教学内容尚局限于朱子理学的体系内,并未跨过官方教育主流意识形态的"雷池",故效应不甚显著。当此时,阳明却提出了带有泛圣倾向的"为圣人"思想,再加上他那种特立独行的学风,则必然引发宿儒贵族们的强烈反感,他们多视阳明言行皆狂妄荒唐,有悖圣化。因为旧观点认为常人只能学圣人、跟圣人,何敢妄言做圣人?今日看来,也正是阳明"敢妄言做圣人",才致使其别开生面,多借书院授徒来宣扬自己的理论学说,并最终推动了书院在正、嘉间的遍地开花。

就"为圣人"这点而言,阳明身上其实又充满了复杂的矛盾性。一方面他对朱熹所获得的神性崇拜强烈不满,并坚定执着地从事击碎偶像的事业,实践完善其泛圣化和通俗化的理论;另一方面他自己和其门人又在不经意间把"心学(王学)"这面旗帜高擎至超越大众的神圣位置,其结果正如前人评价那样,"拉下了一个上帝,自己又坐上了上帝的神位"②。这样的结果对明后期书院的发展产生了另一种影响——嘉靖十六年、十七年明中央连续两次下令禁毁书院。但民间众多书院在心学(王学)强大生命力的影响下依旧暗自积蓄力量,不断发展壮大。故"虽世宗力禁,而终不能止"(沈德符《万历野获编》卷二十四)。甚至到万历年间张居正因不满心学教育而采取更严厉、规模更大的措施禁毁书院时,很多书院仍在"阳奉阴违",帮助王学潜滋暗长。同样,书院发展的势头并未被真正遏止。

阳明心学给书院发展带来巨大推动作用还在于它自身具有的三大特点。首先

---

① 赵所生、薛正兴:《中国历代书院志》(第2册),江苏教育出版社1995年版,第162页。
② 万书元、田晓冬:《理学的变脸与学人的变身——王阳明与书院综论》,《南京理工大学学报》(社会科学版)2006年第3期。

是强烈的批判性。阳明心学主要是继承陆象山而来的,通过对朱熹圣凡两极观、知行分离观的批判以击碎至尊偶像。朱熹言"论轻重行为重,论先后知为先",又说:"故圣贤教人,必以穷理为先,而力行以终之。"(《朱文公文集》卷五十四)朱熹分别从认识论和方法实践论的角度强调先知后行,王阳明却认为这种观点实质就是知行分离,对道德修养的躬行践履十分不利。他言:"知之真切笃实处即是行,行之明觉精察处便是知,知行工夫本不可离……真知即所以为行,不行不足谓之知。"(《王文成公文集》卷二)为此他不遗余力地批判了知行分离的误说,坚定主张知行合一。同时他还提出,心即是理、即是良知,是与生俱来、不假外求、不学自有的,也是不论贤愚、人人皆可备的——"良知之在人心,无间于圣愚"。这样就从本性上将世间人都置于平等位置,阳明心学便自然成为一种市民哲学。相对于朱子学说,当时民众诚然更青睐这种充分尊重人性的心学,那么研讨、传播心学的书院当然能够大行其道。其次是阳明心学号召尊重个性,张扬自我。这就进一步消解了朱熹式的贵族精英圣人观,为大众尤其是知识分子确立了一种新的人格写照与价值范式。阳明甚至提出了满街都是圣人的观点,以泛圣论彰显其学术思想的平民化色彩。阳明心学更充分鼓励民众张扬个性,自尊无畏,因为良知在我心,圣人也在我心,只要坚持静默修养,持之以恒地对心灵去蔽求真,就可从心所欲。这些说法对民众极具诱惑力,使得很多人竞相入书院亲聆善音,书院接收生徒的数量也在持续增加。最后是从宏观上来看,阳明躬行垂范,宣扬了心学与身学的统一。今天看来,阳明的知行合一观虽然在一定程度上将认知与实践的界限进行了模糊化的处理,但若从言行一致,理论与实践辩证统一的角度来理解,则阳明跌宕官学的一生,恰是对其知行合一观的真正践行。阳明在其一生中从未遗弃书院教育,始终不忘在书院开展会讲、宣扬其心学理论,不断将自己最新思想成果传播给众生徒。可以说,是阳明心学旺盛的学术生命力给书院教育及发展提供了持续的催化效应。

(三)阳明个人的教学风格与人格魅力

有这样一个流传很广的有趣故事。据说少年阳明在京读书时曾问塾师:"何为第一等事?"塾师答:"惟读书登第耳。"阳明当时就提出质疑,并给出了自己的答案:

"登第恐未为第一等事,或读书学圣人耳。"①这个故事的真实性虽已无法充分考证,但其他文献中的类似记载也可见阳明志向之一斑。他曾言:儒者患不知兵。仲尼有文章,必有武备。区区章句之儒,平日叨窃富贵,以词章粉饰太平,临事遇变,束手无策,此通儒之所羞也。(冯梦龙《皇明大儒王阳明出身靖乱录》卷上)由此可看出阳明是要立志做文武兼备的"通儒"。其实,这样的通儒从某种程度而言才是真正有可能具备非凡能力、成为圣人的人。为此,阳明在遍览儒家经典、饱读诗书的同时也热衷于兵法和骑射,欲将自己打造成文武兼备的圣贤。这种对于"圣人"的定义自是有别于前代,却回归到了孔子所说"文质彬彬,然后君子"个体修养的最初本义,并从文质均平的基本要求进阶到了文武兼备的更高一级境界。这无疑会为日后其书院教育目标设定一个宏观的期待,在阳明与其诸弟子的交谈中我们能多次明确感受到这样一个倾向。

有一点必须要明确,在大多数情况下,阳明的身份是朝廷官员而非普通专职师长。除少数服丧、遭贬的特殊情况外,他常担任中央或地方较为重要的职务,甚至屡任军事统帅为朝廷平叛戡乱。因此可以说政务繁忙是他生活的常态。但纵然如此,他依然能见缝插针地与生徒会讲论道。由此不仅反映出他运筹帷幄的指挥才能和惜时善断的工作效率,更可见他对书院会讲研学的热情和执着。故在他的带动下,诸多书院的风气自然也普遍变得勤勉好学。

阳明的个人魅力,不仅体现在他探索真理的那种百折不挠精神中,还表现在他那特立独行、不随流俗的狂者秉性中,这对书院教育的建设和王学思想的传播也具有很大的推进作用。前文提到的其思想和学术上的批判性,也在很大程度上源于这种秉性。是故他敢挑战权威、批判传统。他甚至对至圣先师孔子也抱一种怀疑批判精神。如他所作的《月夜二首(其二)》(与诸生歌于天泉桥),诗曰:

处处中秋此月明,不知何处亦群英?

须怜绝学经千载,莫负男儿过一生。

影响尚疑朱仲晦,支离休作郑康成。

---

① 《王阳明全集》,上海古籍出版社1997年版,第1346页。

铿然舍瑟春风里,点也虽狂得我情。①

既已到了"吾与点也"的境界,那么朱熹尚且不在话下,何况汉代的郑玄!在阳明的影响下,其生徒也多具有质疑精神,往往也不会随波逐流。在著名的《传习录》中我们能见到很多这样的事例。

二、王阳明书院教育的形式和特征

书院的总体职能通常有三种:一是挂钩国家制度,输送科举人才;二是着眼文化传扬,培养学术专家;三是担承天下大任,塑造仁人志士。② 阳明对书院功能的定位大体与上述相同。但在当时特定的现实环境中,阳明更多的是希望用书院教育来弥补当时官学教育的不足,通过书院会讲研学来推动其心学与教育思想深入人心。他在《万松书院记》中言:"惟我皇明……其于学校之制,可谓详且备矣。而名区胜地,往往复有书院之设,何哉?所以匡翼夫学校之不逮也。"③显然,他认为"详且备"的"庙学"既不能满足当时的民众需要,也不能保证各种学术思想的正常交流。因为"自科举之业盛,士皆驰骛于记诵辞章,而功利得丧,分惑其心,于是师之所教,弟子之所学者,遂不复知有明伦之意矣"④。

前文已述,阳明正式开始开门授徒是其34岁在京之时。他有感于当时学者多沉迷于朱子之学,学术琐碎支离、学风颓靡,而不知有身心之学,于是在授徒时鼓励生徒先立"必为圣人之志",认为有了这个最高目标以后才能正确地开展学术活动。彼时的阳明风华初露,但他并未着急建书院。其实,阳明一生虽营建过许多书院,但其讲学活动更多的是采取一种开放的座谈式讲学,也称会讲。这正是对两宋以来书院研学教学方式的继承和发扬。不过,阳明对其运用更加极端化、个性化。即使有书院,他亦不喜将教学地点设于封闭的室内,而大多选择在野外。阳明个性本就偏于特立独行、不随流俗,实际教学效果才是他所关心的。

阳明讲学的最大特点就是不拘形式。这种充满突破意味和现实张力的书院教

---

① 《王阳明全集·王阳明诗集》(下),大东书局1935年版,第85页。
② 詹昌平:《中国古代书院人才培养功能定位与实际成效之考述》,《教育探索》2013年第4期。
③ 《王阳明全集》,上海古籍出版社1997年版,第253页。
④ 《王阳明全集》,上海古籍出版社1997年版,第253页。

学,主要以两种具体方式进行。一种是在旅途中,结合具体情境与书院生徒论学。这种讲学方式灵活多便,通常是小范围进行的,随需随讲,往往有点睛之论,能引发生徒事后回味与长时间的思考;另一种是采用开敞式野外山水教学,在优美自然环境之中会讲研学,再加上"群贤毕至、少长咸集",别具情调,与心学的学术风格也高度契合,教学效果更佳。如正德八年(1513),王阳明在滁州任督马政时,"日与门人游遨琅琊瀼泉间;月夕,则环龙潭而坐者数百人,歌声振山谷。诸生随地请正,踊跃歌舞"①。即使遇重大战事,阳明也常常照例讲学不误。如在平定宁王之乱的战斗中,阳明在安排部署妥当后则利用歇息间隙讲学。据《年谱》所载:

> (阳明)入城日,坐督察院,开中门,令可见前后,对士友论学不辍;报至,即登堂遣之。有言伍焚发状。暂如侧席,遣牌斩之。还坐,众咸色怖惊问。先生曰:"适闻对敌小却,此兵家常事,不足介意。"后闻濠已擒,问故行赏讫,还坐,咸色喜惊问。先生曰:"适闻宁王已擒,想不伪;但伤死者众耳。"理前语如常,傍观者服其学。

阳明这种镇定自若、临变不惊的修养功夫和大师风范,想必自会深深地感染当时在场的诸位生徒。

另外,阳明在其书院讲学的过程中十分注重思想学术问题的社会化迁移和普及。这实际源于他对当时学术与社会治乱间关系的深刻认识。他提出"与愚夫愚妇同的,是谓同德;与愚夫愚妇异的,是谓异端"②。认为学术推广及呈现应尽可能地平民化、通俗化,而并非固守于为少数士人所垄断的专利化方式。这正体现出了儒家学术的本质属性,更同昔日孔子打破"学在官府""有教无类"的教育思想恰相暗合。也因如此,阳明愈发重视书院讲学。正如上文所说,纵然是身处谪居之所、边境之地、平乱之际,阳明皆执着于聚众讲学,躬行点拨良知、力倡心学。曾有时人对阳明言,古人名于世"或以文章,或以政事,或以气节,或以勋烈",阳明已能兼而有之;比之孔圣"除却讲学一节,即全人也"。但阳明对此却坚定而自信地言道:"某愿从事讲学一节,尽除却四者亦无愧全人。"③由此,阳明对书院讲学、倡扬学术的重

---

① 《王阳明全集·王阳明年谱》(上),大东书局1935年版,第12页。
② 《王阳明全集》(卷三),上海古籍出版社1997年版,第107页。
③ 《王阳明全集·阳明先生文录序》,上海古籍出版社1997年版,第1569页。

视程度可窥一斑。

阳明除了亲修书院和亲身讲学，还以多种形式支持书院教育。第一，他在其他一些书院担任主持或讲席。比如阳明曾在湖南岳麓书院和贵阳文明书院等地开展研学会讲。同时他也关注有悠久历史的著名书院的当代发展，如江西白鹿洞书院就让他异常关注。正德十三年（1518），阳明将自书的《中庸古本》《大学古本》以及《修道说》遣人送至白鹿洞书院，并刻成传世石碑；十五年（1520），阳明专访白鹿洞书院，在书院徘徊良久，并"多所题识"；十六年（1521），王阳明专门在白鹿洞书院召集众生徒传习"心学"，并在离开江西时向书院赠送银两，嘱咐洞主蔡宗兖置办学田。这些在当地书院志、地方志等相关史料文献中均有明确记述，这里不再赘述。第二，他还经常挂念地方社学的状况。在地方任上，他常督促所辖州县兴复社学，以便和书院一起作为官学的补充获得发展，来共同助力地方文教。例如，正德十三年（1518），他就曾在赣州复建六所书院，其中义泉、正蒙、富安、镇宁、龙池五书院都是以教民化俗为主要职能的社学。第三，阳明还对学生和友人兴建、修复书院的行为给予积极支持。嘉靖四年（1525），山阴监察御史潘仿和提学佥事万潮在杭州城南翻新万松书院，阳明亲自为书院作记，即为《万松书院记》；嘉靖五年（1526），阳明生徒邹守益在安徽广德州营建复古书院，阳明特意致信大加称赞，并鼓励他完善乡约组织。第四，阳明还很好地处理了讲学与举业二者的关系，以促进书院教育顺利、健康、持续地发展。明代是典型的科举社会，八股取士成为最主要的测验人才方式，经过科场竞争而金榜题名成为天下士人艳羡的仕进之途。但科考的主要内容是程朱理学，那么书院会讲、研讨心学自然就与培养应试能力、技巧之间存在矛盾。阳明对此则持相当现实的态度，即在认同科举制度的基础上，使书院将讲学与举业结合起来并使二者互为表里，倡议书院生徒通过研学提高自身修养才是应举的基础，甚至将应举仕进视为推进学术发展的有效手段。正德四年（1509），王阳明在《与辰中诸生》中对研学修德与举业关系有清楚的说明："举业不患妨功，惟患夺志。只如前日所约，循循为之，亦自两无相碍。"[1]阳明将这种思想贯穿于实际的书院教学之中。嘉靖五年（1526），丙戌开科时，其弟子王龙溪不愿前去会试，阳明劝

---

[1] 《王阳明全集》，上海古籍出版社1997年版，第144页。

其前往：

> "吾非以一第为子荣也，顾吾之学，疑信者半，子之京师，可以发明耳。""（王龙溪）乃行，中是年会试。"①

由此可见，阳明要求生徒更兼以科场宣扬其心学，继而扩大其影响。事实上，从其一生来看，作为政治家、军事家，阳明的仕途并不算顺利如意，虽说最终他位极人臣，但几经宦海沉浮，命运着实坎坷；而作为教育家、思想家，其学说也常常受到官方的强力抵制。但即使如此艰难，阳明对书院教育的态度却始终如一，热情而执着。或许在其心中早已认定了书院的学术功用，亦或许书院就是阳明风雨半生中学术和精神世界的一方理想净土与归宿。为此，他不仅热心讲学，而且致力于书院规章与制度的完善，其书院教育思想为明代及以后的书院制度建设作出了重要贡献。

三、王阳明对书院制度建设的贡献

王阳明对书院制度建设的贡献主要体现在以下两个方面。

第一，对讲会制度的再次确立并发扬。这里所说的"讲会"，也有学者称之为"会讲"，虽常有人将两词混用，但二者实非相同，概念各有涵义。根据《中国书院辞典》中的有关词条，对二者的具体所指可作如下概述："会讲"系学术聚会、学术讨论或会同讲学等活动，更强调活动本身，在或不在书院举办皆可，形式不一，时间上也无固定要求；而"讲会"乃学术团体、组织尤其是书院主导之一系列会讲活动，又有"联讲会"之说，侧重于组织性与制度性，常有特定课题，在举办地点和时间以及主持人上亦有较为明确的要求。② 1947 年，钱穆先生发表《王门之讲会》一文，指出明代王门讲会是一种社会运动，且讲会之制与乡约、书院有关，其后则又演变为晚明之文人结社。③ 他实际上点明了书院讲会与乡约、结社之间的密切联系。吕妙芬先生则是从社会文化史的视域来探究明代书院与讲会的，她提出从明代阳明讲会和阳明书院修建的关系来看，讲会常是书院的前身，即因讲会兴盛之后会友大增，原

---

① 黄宗羲：《明儒学案》，中华书局 1985 年版，第 238 页。
② 季啸风等：《中国书院辞典》，浙江教育出版社 1996 年版，第 698—700 页。
③ 钱穆：《王门之讲会》，见《钱宾四先生全集》（第 21 册），联经出版公司 1998 年版，第 393—397 页。

有建筑已不敷使用,此时会友和地方官深感需要一个可供固定会讲的会所,故复修旧书院或增建新书院。由此可以说,讲会这种组织形式非但不是书院复兴后才被倡导的,其兴盛反而是某些书院复兴的重要基础。① 综合以上观点再结合阳明主导和参与下的书院活动,我们也能探知,这里用"讲会"更贴近历史之事实,也更切合阳明之初衷。

嘉靖四年(1525),阳明在兴建阳明书院时,特为书院诸生徒制定了讲会制度,即《书中天阁勉诸生》。讲会制度实际上最初确立于宋代,但到了明代,这一传统却随着前期书院本身的沉寂、萎缩几近丧失。阳明重续讲会传统,不仅确定了讲会时间和地点——即规定讲会地点在龙泉寺中天阁,时间在每月初一、初八、十五、二十三,而且还订立了颇为细致的讲会规则。规则主要规定,讲学之日诸生聚会讨论学术、切磋学问,讨论时,不分年龄长幼和学问高低,均可各抒己见,以取长补短。② 阳明在讲会规定中重点强调了平等、自由的原则,彰显了书院真正的传统精神,对后世的书院教育影响很大。在他的倡导下,大部分书院还"联讲会,相望于远近",讲学实现互联互通,打破了单个书院的限制,更利于切磋学问。针对这一影响的具体情况,陈来先生依据以往书院史研究既有成果,站在学术思想史的高度展开论述,其具体研究过程正是立足于王学背景下士人的会讲、会游活动,揭示出阳明学的一系列讲会活动使得"各地的阳明学者们跨县、府、省到其他地区传播、交流心得,促进了阳明学的推广和深入",其所体现的是"各个地区知识人大跨度的频繁往来",更是"文化同质性的极大提高"。即王门讲会是使阳明学作为一种"跨地域话语体系"得以形成的重要机制。③ 王阳明之所以要制定讲会的规则,因为他深知书院教育的勃兴,没有规则的引导将难以为继。于是,他才在《书中天阁勉诸生》中阐述了讲会制度化的必要性。他首先从物之生长规律立论,指出天下万物的生长需要阳光雨露的长期滋养,如果一曝十寒,则没有物种可以长成。同样,书院教育的盛衰也是如此,讲学必须长期坚持才能不衰。他劝导生徒讲学不能因为他的缺席而荒芜。他自然公务繁忙,每次都不能逗留太久。他深情地告诫道:

---

① 吕妙芬:《阳明学士人社群—历史、思想与实践》,"中央研究院"近代史研究所 2003 年版,第 98—99 页。
② 李国钧:《中国书院史》,湖南教育出版社 1994 年版,第 686 页。
③ 陈来:《明嘉靖时期王学知识人的会讲活动》,载于《中国学术》第 4 辑,商务印书馆 2000 年版。

> 诸君勿以予之去留为聚散,或五六日、八九日,虽有俗事相妨,亦须破冗一会于此,务在诱掖奖劝,砥砺切磋,使道德仁义之习,日亲日近,则势利纷华之染亦日远日疏。①

阳明不但自己亲办讲会、定会则,还力倡兴会之风。他在越中时,门人刘邦采兴办"惜阴讲会"并定期开展会讲,阳明特为之作《惜阴说》,对其举大加赞赏。阳明还在该文中阐释了讲会与"致良知"的关系:

> 离群而索居,志不能无少懈,故五日之会所以相稽切焉耳。呜呼!天道之运,无一息之或停;吾心良知之运,亦无一息之或停。良知即天道,谓之"亦",则犹二之矣。知良知之运无一息之或停者,则知惜阴矣;知惜阴者则知致其良知矣。②

随后,嘉靖六年(1527),阳明在给刘邦采的信中还在称道惜阴讲会取得的成就:

> 诸友始为惜阴之会,当时惟恐只成虚语。迩来乃闻远近豪杰闻风而至者以百数,此可以见良知之同然。而斯道大明之几,于此亦可以卜之矣。③

以该讲会为"斯道大明"之运兆和象征,足可见阳明对讲会的坚守与期许。

第二,为明代书院教育乃至整个国家的教育创设了一套效用显著的教育大纲和具体办法。早在正德十二至十四年,阳明在繁忙的军务政务之余就撰写出了《教约》和《训蒙大意》。《教约》从自省、肃容、谨礼角度,规定了学风学纪,也确立了生徒的学习原则;同时从循序渐进、启发教学、兴趣培养、娱学并重的角度制定了讲师的教学原则。他在《教约》中指出:

> 凡授书不在徒多,但贵精熟。量其资禀,能二百字者,止可授一百字,常使精神力量有余,则无厌苦之患,而有自得之美。讽诵之际,务令专心一志,口诵心惟,字字句句绸绎反复,抑扬其音节,宽虚其心意,久则义礼浃洽,聪明日开矣!

重质而轻量、贵精不贪多、因材施教、注重兴趣、强调专心体味自我理解,这些

---

① 《王阳明全集》,上海古籍出版社1997年版,第1294页。
② 《王阳明全集·惜阴说》,上海古籍出版社1997年版,第267页。
③ 《王阳明全集·寄安福诸同志》,上海古籍出版社1997年版,第222页。

教学原则充满着浓郁的现代气息,今日读来仍是不刊之论。其实传统中智慧的先民早就总结出了很多看似今天才耳熟能详的教育教学方法,历史上已经大放异彩了。尤其是这段话中"能二百字者,止可授一百字,常使精神力量有余,则无厌苦之患,而有自得之美"的说法是最能令人感到耳目一新之处。它迥异于"立上得中,立中得下,立下不得"的以往最大限度挖掘潜力的观点和方法,而是反对竭泽而渔、揠苗助长,特意给学生留出一段进步空间,循循善诱,以增强学生的学习兴趣和主动性,培养其进阶过程中的获得感与成就感。同时,阳明还兼顾了教和学两个方面,对这两个方面都作了规定和说明,以真正达到教学相长的目的。诸多思想无疑对今人教学仍有启迪、指导作用。另一部《训蒙大意》则从儿童生理条件、成长规律出发,提出了一系列科学的启蒙教学法,尤以渐进式、自然浸润、快乐教学为其重点和特色。在对儿童进行蒙学教学时,阳明十分重视寓教于乐。他认为具备音乐特性的诗歌特别适宜儿童,故而大力推崇以诗歌习礼的做法。阳明指出:

> 大抵童子之情,乐嬉游而惮拘检,如草木之始萌芽,舒畅之则条达,摧挠之则衰萎。今教童子,必使其趋向鼓舞,中心喜悦,则其进自不能已。譬之时雨春风,沾被卉木,莫不萌动发越,自然日长月化;若冰霜剥落,则生意萧索,日就枯萎矣。

这足可称为中国教育史上一篇经典的蒙学文献。它不回避儿童的客观天性,从事实出发循循善诱,增强其求知欲以使主动进学。如春风化雨般于潜移默化之中实现人性"中和"与教化"礼义"交互和谐的至高境界。

余 论

王阳明为儒学的新变和书院教育的发展做了大量全面而细致的工作,在中国书院发展史上是罕有人可与之比肩的。他还曾亲自编写书院教材、讲义,尤其是和生徒共同编写、修订、刊刻了在中国文化、教育史上地位相当于《论语》的《传习录》一书。他修建和主持书院,鼓励社学振兴,直接促进了明中后期书院教育和地方教育的普及与繁荣。同时,他亲自制定书院学规、章程,规范并指导了书院教育的健康有序开展。最值得称道的是,王阳明培养了诸多成就斐然的生徒,他们后来被称为阳明学派。受阳明影响,他们也陆续修建了大量的书院,对传播王学、兴盛书院教育均有重要意义。沈德符在《万历野获篇·畿辅》中指出："王新建(阳明)以良知之学,行江浙两广间,而罗念庵、唐荆川诸公继之。"①实际上,建书院传播王学的,除罗念庵、唐荆川外,还有王艮、王畿、钱德洪、徐阶、李遂、徐珊、吕怀、范引年、欧阳德等人以及为数更多的王门再传弟子。同时,王学不仅在江浙两广之间流行,在全国范围内其更是产生了巨大影响,甚至在清朝时还传到了朝鲜、日本。王学就这样极大地促进了书院教育的繁荣,而书院作为阳明思想传播的重要载体和媒介,又对阳明思想的大范围传播起到很大的助推作用。虽然王阳明死后朝廷一度压制其心学的传播,但这却更加激发了王学信奉者和支持者利用书院传播阳明心学的热情,他们纷纷创建书院,并立会讲阐扬师说。相关统计显示,明代各行省中江西的书院最多,其新建书院"有年代可考者,弘治前共 58 所,而正德、嘉靖以后迅速发展到 206 所"②。另外,阳明开明的科举观也得到了大多数以讲学为主的书院山长的认同。

正是在阳明的大力推动下,明朝的书院教育迎来了新变,催生了中国历史上自南宋以来的第二个书院与学术一体发展的时代。在书院讲学的过程中,王阳明别创新说,充分显示出了其追求学术自由、学术创新、重视成德教育的书院教育思想,特别是一系列书院原则的提出,更彰显了王阳明书院教育的心学特质。尽管他的书院教学思想并不完善,但依然对现代大学公平教育、学术自由、学术创新和人文精神教育与践履有着不容忽视的借鉴意义。

---

① 孙培青:《中国教育史》,华东师范大学出版社 2000 年版,第 43 页。
② 魏佐国、李萍:《王守仁与江西书院教育》,《南方文物》1997 年第 1 期。

Reinterpretation of Wang Yangming's Educational Ideogogy of Academy

JIAN Dong

(School of Chinese Language and Literature, Zhengzhou University, Zhengzhou, Henan, 450001)

Abstract: In Wang Yangming's ideology, there is a considerable part about education, especially the academy education. Due to the practical need of advocating his academic ideas and the historical background of academy development at that time, it can be said that Wang Yangming's lifetime teaching experience is closely related to academy. The formation and improvement of Wang Yangming's educational ideology of academy is exactly from his long teaching experience and academic communication practice. Meanwhile, his personal character and charm also add a more personalized color to his academy education theory. Wang Yangming's educational ideology of academy has distinct forms and characteristics, which has made outstanding contributions to the inheritance and dissemination of his Xinxue, the construction of academy system as well as the great influence on the development of academies from the late Ming Dynasty to the Qing Dynasty and even the whole national education. However, the current academic research on this issue is not systematic, comprehensive and sufficient, so it is necessary to extensively and carefully sort out the relevant handed-down literature, and conduct a clear discrimination and analysis of his educational ideology of academy, so as to realize the integration of literature, history and thoughts.

Key words: Wang Yangming; the academy; educational ideology; discrimination; integration

二程格物穷理蕴含的知识与道德关系问题

冷天吉

(河南师范大学　政治与公共管理学院,河南　新乡　453000)

摘　要:通过理性认知能否把握形上的本体,自然物理知识的获得是否有益于德性的培养,道德践行是否依赖道德理性是中外古今哲学家在知识与道德关系上追问的主要问题。二程在对格物致知的诠释中开启了对这些问题的自觉探讨。

关键词:格物致知;知识;道德

知识与道德关系问题是现代西方哲学中讨论的一个主要话题,不过,其作为哲人思考的问题之一,无论在西方古代哲学还是在中国古代哲学中早已纳入了哲人的视阈。宋代理学家程颢、程颐通过对格物致知的诠释与理解展开了对这个问题的探讨。在知识与道德关系问题日益突出的今天,反思古代儒家特别是理学家在此方面的思考,无论在理论上还是在实践上都具有重要的意义。

一、知识与道德关系的问题

在知识与道德关系的问题上,人们首先追问的是:什么是知识? 什么是道德?

知识在宽泛的意义上可大致区分为"是什么"之"知"和"应当如何"之"知"。前者是关于事物本身的知识,可称为事实知识,在现代的知识语境中也可狭指科学知识;后者则涉及人的价值判断,可称为价值知识,在狭义上也可称为道德知识。

作者简介:冷天吉(1964—　),男,河南新乡人,河南师范大学政治与公共管理学院教授,哲学博士,主要从事中国古代哲学和科技哲学研究。

道德从伦理学上讲就是外在普遍规范与内在的个人品性的统一。道德不仅是一个认知问题，更是一个践行问题。认知获得的只是有关道德的知识，重要的是把道德知识内化为个人的德性，然后再把这种德性在实践中外化为道德品行，道德是知与行的统一。

在早期的中西方古代哲学中，哲学家们一般没有对知识作严格的区分，其知识一般笼统地指人们对"物"和"事"的认知与把握。知识既包含道德知识，也含有自然知识，这从孔子的仁智合一与苏格拉底的知识即美德可以证明。所以，在最初的道德与知识的关系问题上，人们纠结的主要是人们的道德认知与人们的道德践行之间关系问题，即一个没有道德知识（道德认知）的人是否就是一个没有道德践行的人，或者，一个具有道德知识（道德认知）的人是否一定就是一个道德的人。在中国哲学语境中，这些问题凝练为知行之先后、知行之难易、知行之合一问题。哲人在讨论这些问题时，一般没有对知识作严格的区分，虽然知识的内涵主要指人们的道德知识（道德认知），但没有明确把自然知识排斥在外。

后来，随着人们对自然知识把握的增多，自然知识与人的道德关系问题逐渐凸显出来，人们开始追问自然知识与道德践行之间的关系，即自然知识对人的道德培养究竟有何意义。这个问题在西方开始于休谟的"是什么"与"应该如何"的追问，在中国则开始于张载、二程"见闻之知"与"德性之知"的划分。

因此，知识与道德的关系问题在实践中具体展开为以下问题：

第一，道德的形上根据是什么？人们能否通过理性认知的方法把握道德的形上根据？

第二，在道德实践中，是先知后行（先有道德认知然后才有道德行为），还是先行后知（先有道德行为然后才有道德认知）？或者是知行合一？

第三，知识对道德的培养有没有意义？如果有，是什么样的知识对道德有意义？自然物理知识对德性的培养有没有意义？

第四，道德对知识有没有意义？道德对知识的意义何在？

这些问题在宋明理学中表现为以下追问：

第一，通过理性认知的格物能否穷究形上的本体一理？

第二，在为学方法上是先"尊德性"还是先"道问学"？在修身实践中知行谁先谁后？谁易谁难？

第三，程朱理学所讲的"理"是水寒火热之理还是君臣父子之理？德性之知是否不假见闻？

第四，既然德性之知不假见闻，"格竹子之理"对成圣修德有什么意义？

第五，"无德之知"是否"适足可杀人"？

宋明理学在知识论、道德修养论上的争论主要围绕以上问题展开，而程颢、程颐兄弟是这些问题的提出者。

二、格物穷理是对知识与道德关系问题的反思

儒家思想自孔子始，就重视仁智合一，人们通过"下学"而"上达"，即强调道德和知识的统一，强调道德修养要建立在理性认知的基础上。但是，在孔子那里，"下学"更多的是理性认知学习，而"上达"则是达到对道德本体的把握。这就出现了后来西哲康德所要探讨的问题：人们能否通过理性认知的方法去把握形而上的宇宙本体？孔子的下学上达也同样面临这样一些问题：人们能否通过下学而上达？人们的下学要学习什么？孔子作为教育家和哲学家，对通过教育学习的方法而达到对天命和人生的觉悟没有任何怀疑。同时孔子也没有对"下知"的内容做严格界定，虽然很重视社会道德知识，但也没有排斥自然物理知识。也就是说，有关知识与道德的问题在孔子那里还不是什么突出问题。

汉代以后，佛教传入中国，发展到唐代达到鼎盛。佛学虽然也强调通过渐修达到人生的觉悟，但它的觉悟是建立在强烈的情感信仰基础上的，在某种程度上是排斥人的正常的理性认知的，特别是到了禅宗的"明心见性"的"顿修"，更是偏离了人类正常理性认知之路。这种方法对注重"下学"的儒家来说是极大的威胁和挑战。二程理学的出现就是要应对这种挑战。

二程理学要应对这种挑战，必须恢复先秦儒家的"道统"和"教统"，把儒家对"性与天道"的把握建立在正常的理性认知基础上，建立在正常的学习教育上。那么，运用什么样的方法来达到对"性与天道"的把握呢？二程发现了《大学》中的"格物致知"的价值，把格物致知发挥为格物穷理。对此，明代罗钦顺说得很清楚："'格物，莫若察之于身，其得之尤切'，程子有是言也矣。至其答门人之问，则又以

为,'求之情性固切于身,然一草一木亦皆有理,不可不察'。盖方是时,禅学盛行,学者往往溺于明心见性之说,其于天地万物之理,不复置思,故常陷于一偏,蔽于一己,而终不可与入尧舜之道。二程切有忧之,于是表章《大学》之书,发明格物之旨,欲令学者物我兼照,内外俱融,彼此交尽,正所以深救其失,而纳之于大中。良工苦心,知之者诚亦鲜矣。"[1]

二程格物穷理的提出,具有极大的意义:格物致知在《大学》中虽然强调了"止于至善"的下学工夫,但基本上还是一个道德实践工夫。经过二程兄弟的改造呈现了多重的意义:第一,继承和恢复了儒家仁智合一的传统,把道德修养奠定在理性认知的基础上,强调"止于至善"的成圣追求要从最基础的学习做起。第二,"止于至善"的成圣是与对"天理"的把握相关联的。"格物"不仅仅是"致知",更重要的是"穷理"。"至善"的实现要建立在对宇宙本体"天理"的觉悟上。第三,对"天理"的贯通不是禅宗的"顿悟",而是对具体的君臣父子、水寒火热之理一件件体贴出来的。"天理"就分殊于事物之中,通过日常的洒扫应对就能把握"理一"。

总之,二程的格物穷理强调了通过理性认知能够把握道德的形上本体,把道德践行建立在现实的理性认知基础上,克服了佛教信先于知、循空蹈虚的修身路径。因此格物穷理既是一个道德修养命题,也是一个认识论命题,更是一个哲学本体论命题,是一个集道德修养、理性认知、宇宙觉解于一体的哲学命题。

三、二程格物穷理所隐含的理论难题

二程的格物穷理思想的提出解决了儒家思想面对佛学冲击所遭遇的尴尬:既为儒家找到了本体的根据,也为儒家找到了切实践行的方法,避免了佛教循空蹈虚的弊端。但是,格物穷理也内含有难以克服的理论难题。

首先,儒家是以道德至善的追求为目的,二程虽然提出天理,但天理是至善的化身,同时,把握天理要用格物致知的办法,天理又具备至真的特征,天理是至善至真的合一,那么,用求至真的理性认知方法能否达到至善的目的? 二程认为能够通过格物穷理的认知方法达到对至善天理的把握。"人要明理,若止一物上明之,亦

---

[1] [明]罗钦顺:《困知记》,中华书局1990年版,第3页。

未济事,须是集众理,然后脱然自有悟处。"(《二程集·河南程氏遗书卷第十七·伊川先生语三》)"所务于穷理者,非道须尽穷了天下万物之理。又不道是穷得一理便到,只是要积累多后,自然见去。"(《二程集·河南程氏遗书卷第二上·二先生语二上》)在积累的理性思维基础上,经过豁然有觉、脱然有悟的飞跃,二程打通了由现实的具体理到超越的终极理的道路。实现了从知识到智慧的飞跃。但问题是,在现实的境遇中,有许多人穷了一辈子"理",也没有到豁然贯通处,还停留在"下学"的层面,甚至被淹没在屋上架屋、床上叠床的烦琐求知中。

另一方面,二程过分强调理性认知,那么,能否保证在具体的格物穷理过程中,人们不偏离至善的目标而被外物所累、所奴役而成为利益的奴隶?这就提出了人们对自然物理的认知需要不需要道德范导的问题。人的"智"构成了为学成圣的前提条件,但是,有了智并不意味着必然就能成圣。关键在于如何用智。人的智(认识能力)出于人的天性,人们运用自己的智力,有时并不用到好的地方,而是运用自己天生的智力做一些巧伪之事。朱陆之争中的尊德性和道问学争论就是由此问题引起的。

其次,穷理是穷什么理?二程认为万事万物都有理,无论是君臣父子间的社会伦理,还是水寒火热的自然物理都是一理的体现,要求人们对所遇到的事物都要穷究其内在的理。当有人问格物之"物"是外物还是性分中物时,伊川明确告诉人们:"不拘。凡眼前无非是物,物物皆有理。如火之所以热,水之所以寒,至于君臣父子间皆是理。"(《二程集·河南程氏遗书卷第十九·伊川先生语五》)火热水寒之理、一草一木之理指事物本身的道理,虽然热与寒与人的感受有关系,但火所以热、水所以寒却由事物内在的本性所决定,它更多指向事物本身"是什么"的问题。而君臣父子之理则主要说明君臣父子之间的关系,在于说明人"应当怎样"的问题。对于前者而言,当与致知联系起来时,如果致知表示发挥人的认识能力,那么,水火草木之理所折射出的是人的认知理性;如果致知表示获得知识,那么,格物所得知识则是自然物理的知识。显然,二程把先秦儒家所强调的道德理性作了进一步的扩展,意识到了作为现实存在的人,其理性思维不仅仅具有善恶道德的对象,而且还应有外在的客观事物。其知识也不仅仅是有关善恶的道德知识,也理应有关于事物本身的知识。那么,关于自然事物之理的把握对于人的德性培养有何意义呢?

这是他们在理学建构中必须思考的问题。

再次,二程也意识到了自然物理知识对人性至善的培养有无意义的问题,他们提出了德性之知不假见闻。张载曾说过:"见闻之知,乃物交而知,非德性所知;德性所知,不萌于见闻。"(《正蒙·太心》)伊川沿着张载的思路进一步强调了德性之知不假见闻的观点,指出:"闻见之知非德性之知。物交物则知之非内也,今之所谓博物多能者是也。德性之知,不假见闻。"(《二程集·河南程氏遗书卷第二十五·伊川先生语十一》)德性之知就是道德认知或道德知识,见闻之知是自然物理认知或自然物理知识。二程表达了道德知识和物理知识的区分,也表达了对至善本体的把握可以不依赖对物理知识的把握。但是这个观点和伊川格物穷理的观点相矛盾,他的格物穷理不仅要穷君臣父子之理,还要穷水寒火热之理。

最后,二程的格物穷理强调了理性认知、道德知识对人把握天理、止于至善的重要性,那么,在知行问题上就强调知先行后、知难行易。"勉强乐不得,须是知得了,方能乐得。故人力行,先须要知。非特行难,知亦难也。《书》曰'知之非艰,行之惟艰',此固是也,然知之亦自艰,譬如人往京师……自古非无美材能力行者,然鲜能明道,以此见知之亦难也。"(《二程集·河南程氏遗书卷第十八·伊川先生语四》)在二程看来,现实中的行与知并不表现为必然的一致,在不知或知浅的情况下,人们也会模仿前人或他人做一些合乎道德的行为,或者人们的行为也会偶然地合乎道德,但其行为绝不是出自内心的理性选择,更不会恒久。行为是"固守之"而不是"固有之"。"到底,须是知了方行得。若不知,只是觑却尧学他行事。无尧许多聪明睿知,怎生得如他动容周旋中礼?有诸中,必形诸外。德容安可妄学?如子所言,是笃信而固守之,非固有之也。……未致知,便欲诚意,是躐等也。学者固当勉强,然不致知,怎生行得?勉强行者,安能持久?除非烛理明,自然乐循理。"(《二程集·河南程氏遗书卷第十八·伊川先生语四》)

道德行为出自内在理性的选择才是自觉自愿而自由的,但是,二程所谓的内在理性是人心对外在事物之理的把握。他过于强调对外在事物之理的把握,实际上是把外在的理内化为人的理性道德标准。外在的、普遍的、客观的理成为人行为选择的唯一标准,这样,人的行为便不是出自人真正的理性,而是出自外在的客观规定,出自外在理的规定,人的行为反而没有自由可言。过于强调理在人的意识活动中的作用,则相对减弱了人的情感因素在成圣追求中的动力作用。另一方面,对知先行后的强调也使知行面临着脱节的危险。而知行脱节则是道德修养中致命的因素。基于成圣追求中的道德培养,不仅仅是对道德知识的了解,更是道德实践的落实。如果过分强调对道德知识的了解,道德培养很可能停留于精神领域的思辨而流于口头的说教。

总之,二程理学作为初创的哲学体系,在反思知识与道德关系问题上,存在着不可避免的矛盾,这些矛盾随着陆王心学对他们的批判而展示出来。

四、二程之后程朱学派与陆王学派对问题的解答

朱熹继承了二程的格物穷理思想,从各个角度论证了理性认知把握道德形上本体的可能性,也强调了理性认知对道德实践的先在性和重要性。朱熹大胆地通过对《大学》格物致知的补传诠释了他对知识与道德关系问题的看法。

朱熹沿着二程的思路,把先秦儒家经典中的为学成圣思想和北宋诸儒的为学成圣思想糅合到格物穷理的一体工夫中,系统化了格物致知思想。格物何以能穷理？其根据何在？这是理学建构中的一个中心问题,不仅关系到人是否能由知识达智慧的成圣问题,也关系到道德知识普遍有效性何以可能的问题。朱熹不仅从理气生物的生成论角度,也从万物当然之则和所以然之理的本体论角度来寻找这种可能的根据,并且他还从人心是性与知统一的角度发现了格物能够穷理的主体根据。在为学成圣的过程中,朱熹确立了从日用处把握道,涵养与致知相结合,深造自得,凝道成德的原则;在具体方法上,他要求从自身德性的一丝"明"出发,把这种已有的一点"明"通过逐渐的格物积累而发挥出来、扩充开来、推致到极处。与二程一样,为了与佛道疏离现实世界的思想相区别,朱熹强调对分殊之理的把握,在为学原则上、为学方法上以及在对"四书"中的为学命题的诠释上,他一般都侧重下学的工夫,工夫论中的知识论意义更加突出。然而,这种工夫落实于具体的为学实践时,未免使人陷入支离烦琐的外在知识的追求中,使为学实践偏离儒家成圣的终极目标。不过,朱熹为学工夫的知识论倾向也与当时我国古代科学技术的发展高峰有关。作为时代精神的代表,朱熹在建构理学体系时,不能不考虑两宋繁荣发展的科学技术,况且他本人也是一个具有丰富科学知识的人。但是由于其成圣的追

求,朱熹的自然科学知识始终遮掩在道德形上学的体系中,这与西方的康德形成了鲜明的对比。康德也具有丰富的科学知识,也建构了自己的道德形上学,但是他对(自然)知识与道德作了二分划界的处理,在一定程度上把科学从宗教中解放出来,促进了西方近代科学的发展。而朱熹始终没有把(自然)知识与道德(知识)区分开来,虽然他的格物穷理思想在一定程度上促进了古代科学技术的发展,但并没有把我国古代的科学技术推进到近代科学技术的门槛。

朱熹格物穷理所内涵的知识向度在实际运用中未免流于方法上的支离烦琐、知识上的玩物丧志,其为学工夫有偏离儒家成德成圣目标的危险。陆九渊、王阳明有感于此,试图通过挺立儒家道德主体性的方法来纠正其格物致知思想中的偏向。陆九渊把外在事物之理收归于一心,理与心合二为一,理成为心之理,尽管这种道理还具有实理、至理、公理的性质,但在心的范围中,其客观的制约性相对减弱。另一方面,心之理是人之为人的道理,摒除了朱熹之理中的物理内容,净化了心中的德性之理,陆氏称之为打扫心地净洁。也就是说,陆九渊的理是纯粹的伦理,心是这种道德伦理的载体。心即理就是指人纯粹的道德意识。与此相对应,朱熹的格物穷理在陆九渊这里发生了两方面的转化:包含有认识论意义的工夫成为纯粹的修养工夫;包含有知识论意义的学习成为纯粹先天道德知识的证明。陆九渊把自己净化了的道德修养工夫称为简易工夫,这种简易工夫正面说是"发明本心",反面说是"减担"。他反对把他和朱熹的为学之别看作是尊德性和道问学的区别,他认为他们之间的争论不是要不要尊德性或道问学,而是尊德性和道问学二者之间何者为先、何者为重的争论。因此,从本质上讲,陆九渊并不反对朱熹的道问学,而是反对朱熹道问学过程中的知识论偏向。陆九渊试图去掉朱熹加在格物穷理上的认知与知识的意义,把格物致知还原为原始文本中的修养工夫意义。不过,他并没有真正消解掉朱熹理的本体意义,还不时强调理是公理、实理、至理。王阳明正是在这方面不满意他的格物致知说。王阳明在格竹子的实践中体会到,朱熹的格物穷理所以会导致烦琐支离的弊端,在于他析心与理为二,主体内在的成圣追求依赖外在的本体根据,以外在的求知工夫去实现内在的成圣追求。所以,要克服朱熹格物穷理中的知识论意义偏离儒家修德成圣目标的倾向,必须解构格物穷理工夫的本体论基础;而要解构理本论,首先必须消解理得以呈现的客观对象物。王阳明通过对《大学》的重新诠释和理解,把朱熹所说的客观对象物转换为意的构造物,随着物的意义构建,理也内化为我心中的条理,致知格物成为主体赋予万事万物以条理的工夫,一方面,突出了心中的道德意识在道德修养中的主宰功能,另一方面,其内在知识论的意义被摒除,致知格物不再是通过认识具体事物之理而把握本体的过程,而成为澄明良知本体的过程,致知格物从一个具有认识论意义的命题转化为一个具有本体论意义的命题。对于后者而言,德性良知和闻见之知的关系也不再具有认识上的关系,而成为本体上的体用关系,认识上的关系是德性良知之体是否因闻见而"有"的关系,本体上的关系是德性良知本体是否因闻见之用而"显"的关系。王阳明所以要极力摒除格物致知的认识论、知识论意义,在于他发现了格物致知命题中所存在的知识与道德的紧张关系。这种发现像休谟发现事实判断与价值判断不可通约的关系一样令他兴奋不已。康德以及此后的西方哲学家在解决休谟问题时采取了划界方法,科学是知识,道德是情感,二者不相关,不能以理性的认知方法去把握情感以及信仰的形上问题。与休谟、康德等不同的是,王阳明试图通过消除格物致知的知识论意义来消解知识与道德间的紧张关系。但是,他在醇化儒家修德成圣工夫的同时,也疏离了儒家工夫中重下学的精神,偏离了儒家道德实践中的理性主义认知路线。

总之,西方有关知识与道德的紧张关系始于休谟,中经康德最终走上了二分的道路。中国则始于程颢、程颐,中经陆王,到了现代新文化运动也走上了知识与道德二分的途径。不过,在中国这种分裂表现得不太明显。

Relationship between Knowledge and Morality in the Two Cheng Masters' Investigation of Things and Fathoming of Principles

LENG Tianji

(College of Political Science and Public Administration,
Henan Normal University, Xinxiang, Henan, 453000)

Abstract: Chinese and foreign philosophers in ancient or modern times have been inquiring main issues on the relationship between knowledge and morality like whether metaphysical ontology can be grasped by rational cognition, whether obtaining natural physical knowledge is conducive to the cultivation of virtue and moral conduct and whether moral practice depends on moral rationality. The two Cheng Masters' interpretations on the Investigation of Things and Fathoming of Principles opened up a series of conscious discussions about these questions.

Key words: the Investigation of Things and Fathoming of Principles; knowledge; morality

二程理学对中原文化的价值提升及其意义

魏 涛

(郑州大学 历史学院,河南 郑州 450001)

摘 要:二程理学之所以为历史所选择并对传统社会产生深远的影响,与其结合现实对中原文化进行卓有成效的重构密不可分。二程兄弟从儒学的本有资源中拣择出"天理"二字作为核心范畴,对儒家经典体系进行重组,从方法上实现了天人两分向天人合一的回归,大胆吸收佛老思想对儒学进行自觉的改造。这启发我们既要抓住当前文化建设的核心问题,又要建立与重塑可靠稳定的经典、形象体系,不断实现文化发展方法上的创新,实现与异质文化的融合、会通。此乃建构起有中原作风、中原气派的文化不可或缺的重要环节。

关键词:二程理学;中原文化;文化建设

一、二程理学对中原文化的价值提升与文化辐射

中原是中国传统文化的重要发源地,历史上的每一次思想文化高峰的形成,都与中原学者的参与有着非常紧密的关联。作为中国思想文化史高峰之一的宋明理学,广泛而深刻地影响了南宋以后的中国社会达数百年之久。甚而远播朝鲜、日本和东南亚,促成了备受世界瞩目的儒学文化圈。通过树立和彰显以儒学为主导的中国文化的特色,于西方强势文化之缝隙中挺立出了"文化中国"的理念。毋庸讳言,北宋时期河南籍学者程颢、程颐两兄弟对中国传统文化的重新整合对于这样一

作者简介:魏涛(1978—),男,陕西西安人,郑州大学历史学院副教授,硕士生导师,哲学博士。国际儒学联合会理事,河南省二程邵雍研究会秘书长。

基金项目:河南省 2018 年社科基金项目"《正蒙》的古典诠释与现代张载哲学研究范式的生成"的阶段性成果。

种重要趋向的形成发挥了极其重要的作用。

汉唐时期,儒学文化在佛老的冲击下,理论地位日渐下滑,以致出现"儒门淡泊,收拾不住"的局面。为扭转儒家伦理纲常废弛的不良格局,自韩愈始,儒家知识分子便从不同的路径入手,从立本处着眼,力图重建儒家的理论体系,以应对佛老。这种理论改造运动至北宋庆历之际已非常热烈,加之政府"崇儒"政策的推动,使得当时的思想界异常活跃。出现了宋初三先生和范仲淹、欧阳修等对儒家思想在新时期传播与践行发挥了重要作用的人物,也孕育出王安石的新学、司马光的涑水之学和三苏的蜀学,最为重要的是催生了周敦颐濂学、邵雍先天学、张载关学和二程洛学。从当时的历史事实来看,王安石的新学统治思想界达半个多世纪,而周、邵、张、程之理学却仅处于发展的初期阶段,并未占据思想界的主流。然理学因其从儒家传统的"性与天道"问题立论,本着"内圣与外王相贯通"的思维模式,强化了儒家在天道与性命相贯通问题上的论证,彰显本体论、心性修养论的重要地位,使其在后世的发展中逐渐被历史所选择,成为占据思想主流达数百年之久的官方哲学,其内在因子已然形成。因周敦颐理论与道家之关系甚为紧密以至对其产生较大争议,邵雍因偏重于象数之学而与重视义理之学的主潮不甚相符,张载虽穷天力索,建构了一个"由太虚有天之名,由气化有道之名;合虚与气有性之名,合性与知觉有心之名"的宏大思想体系,然因其学被其后学继承与发展之不足,加之完颜之乱的冲击,并未在当时产生广泛的影响。惟有二程兄弟所创立的洛学,力辟各家之失,综罗百代,综合中原传统思想之精华,重构儒家思想体系,遂使从游者甚众。加之杨时、谢良佐、游酢等弟子的发展与传播,对于此后的湖湘之学、朱熹闽学、陆九渊心学的形成都产生了重要影响。尤其是经杨时、罗从彦、李侗,传至朱熹那里,其理论被全面继承并作了非常广泛的传播,这为此后"程朱理学"成为官方哲学奠定了重要基础。反思历史和思想发展的内在逻辑,应该看到,二程理学之所以被后世历史所选择,这与其结合当时的社会问题,对传统中原文化进行了卓有成效的整合与创新密不可分。从思想史上来看,二程理学借由伦理纲常绝对地位的确立,使得历代统治者看到了社会核心价值观建立的必要性和可能性。正是基于此,后世尽管存在着持久的朱陆之辩,但对于由二程所挺立出来的儒家价值观的核心——天理的态度却是共同的。元代以后,一方面程朱理学的官方地位得以确立,使其通过科举考试的方式得以在士大夫中间广泛传播开来,进而占据了意识形态的主流地位;另一方面,周边的朝鲜、日本、东南亚诸国,亦从程朱理学获益良多,不断引进其理论资源,并自觉结合本国特点进行必要的改造,使得在海外一时也出现了程朱理学热,这对于中原文化对世界的影响发挥了重要作用。

二、二程理学的理论建构方法

通过反观思想史不难看到,二程对中原传统历史文化的重构显示出非常鲜明的特点,而这乃是其能够从"学统四起"异常活跃的宋代思想界挺立出来并不断被传承与发展的重要原因所在。结合二程所论及后世的评价来看,其理论建构特点主要体现在如下数端:

首先,二程兄弟紧紧抓住当时儒学出现的核心问题,从儒家思想的本有资源中拣择出"天理"二字作为应对佛老"空""无"的核心范畴。如其所言:"吾学虽有所受,但天理二字却是自家体贴出来。"这里的"体贴"浸透着二程兄弟对儒家伦理纲常失范的根源性思考。发源立本固然是作为当时许多儒者的普遍思路,但是却以二程对于立本问题的解决最为有效。二程对"天理"的拣择和重视,被后世广泛传扬。"天理"二字从一般的哲学意义上最早提及乃是在《礼记·乐记》中,二程对这一古老的词语的涵义作了新的提升,并将其作为整个思想的核心,以资统领其思想的方方面面。他们提出:"万理归于一理。"[1]在他们看来,天、命、道只不过是理的不同称谓而已,在这个意义上,他们就把根据人类社会的类比而设想出来的自然法则转化为理性的法则。故而,他们坚信万物由一理贯之,理作为本性存在于人自身,此点对于新儒学的理论建构贡献卓著。正像英国著名汉学家葛瑞汉所言:"如此伟大的成就,只能是经过长时间发展的结果。在这之前的一千五百年间的概念逐渐浮现出来,对这一过程的研究,毫无疑问会显示,早期的思想家已经为二程开辟了道路。但不管怎么说,被嗣后 800 年间的儒家学派所接受的理的学说,清清楚楚的是二程兄弟的发明创造。"[2]二程的思想经过朱熹的理论改造之后,其"天理"论更

---

[1] 程颢、程颐:《二程集》,中华书局 1981 年版,第 216 页。
[2] 葛瑞汉:《中国的两位哲学家:二程兄弟的新儒学》,大象出版社 2000 年版,第 46 页。

是成为程朱理学在理论上的立足之本，此为儒学在更为广泛、深入的层面得以发展，并成为民众生活的重要指南奠定了重要的基础。

其次，二程兄弟基于对儒家地位失落的思考，并未限于仅仅从理论本身发展的逻辑上进行必要的修补，而是非常重视对儒家经典体系进行重组。经典在传播思想过程中的作用在传统社会是非常重要的，对传统的经典体系进行新的整合，实现由"五经"系统向"四书"系统的转移，在对传统尤其是儒家文化资源的选择上实现了由制度文化与思想文化并重向以思想文化为主的转移，在经典的层面对传统的价值提升发挥了重要作用。二程对于《大学》《中庸》的重视，尤其是对《大学》的重视，使得后世在理解儒家"内圣与外王"的贯通方面，逐渐向一种与孔子不同的思路而展开。"格致诚正"而致"修齐治平"日益成为士大夫们的普遍价值选择。自孔子之后，基于对孔子思想不同向度的诠释，出现了儒学的早期分化及此后儒学内部的派系林立。每一个派系都有其特有的经典选择体系。这种儒家的经典选择体系的多样化格局直至唐孔颖达修《五经正义》后方得统一。自中唐的赵匡、陆淳、啖助等始，以义理为导向的经典重组运动逐渐拉开序幕。唐代的古文运动及北宋庆历年间的疑经思潮更是加速了这一经典重组的进程。在这样的语境下，二程沿着韩愈、李翱及宋初三先生的思路，对传统经典体系进行重组，凸显了《中庸》的地位，特别强调了《大学》的重要性。二程成为历史上"四书"升格运动的关键人物。二程之学在许多方面都在对"四书"思想资料进行阐释发挥的基础之上加以吸收利用，"四书"思想资料成为其思想形成及理论体系建构的重要学术依托[1]。《宋史·程颐传》更是盛称程颐"以《大学》《语》《孟》《中庸》为标指而达于《六经》"。这些评价并不完全准确，但从中不难看出"四书"在二程理论体系建构中所发挥的重要作用。

再次，二程兄弟从方法上实现了汉唐儒学天人两分格局向天人合一的回归。汉唐儒学深受荀子一系儒家思想的影响，在天人关系上往往是陷入"知人而不知天"的理论偏失。二程兄弟借"天理"为本的理论体系的建立，实现了天道与人伦的合一。在两宋以前，历代思想家所说的道，既有自然意义的天之道，也有伦理学意义上的"人道"，虽然有一些思想家也曾试图把这两种道结合在一起，但是，由于形

---

[1] 肖永明、朱汉民：《二程理学体系的建构与〈四书〉》，《广西师范大学学报》2004年第4期。

而上学的相对不发达,他们似乎都未真正理解天道与人道之间的关系,即便是唐代的韩愈把"道"提升为儒家伦理思想的核心概念,然对于道的理解亦仍停留在"仁与义为定名,道与德为虚位"(韩愈《原道》)的水平之上。可以说,形而上学与伦理学的分离,是历代思想家一直悬而未解的难题。二程兄弟在继承和发挥《周易》形而上学方法的基础上,终于把天理从以往思想家分而论之的人道与"天道"中抽象出来,因而也就实现了形而上学与伦理学的有机结合,真正意义上实现了在现实世界的天人合一①,此种合一对于儒家理论在汉唐时期的伦理天道根据的解决和空言气化、元气的传统儒学在理论深层上具备了与佛教对话的深度。自韩愈以来的批判佛教的理论往往流于外在方面,"夷夏之辩""有害民生"成为反佛论中的主流理论依托,这种外在化的批判难以令那些有着强烈思辨色彩和理论体系的僧道们信服,这对于儒家思想在日用伦常中影响和效用的发挥非常不利。二程兄弟从理论方法革新入手,重构了传统儒学,这对于儒家思想地位的捍卫发挥了积极的作用。

最后,二程兄弟在理论建构过程中大胆吸收了佛老思想的一些方面,对儒学进行了自觉的改造。同张载等其他宋儒一样,二程兄弟早年亦曾有过"出入佛老"的经历,对佛老言"空""无"的理论深有体察,对于其基本思维方式当是深有领会。佛老二教在世俗层面的广泛传播,对于笃信和坚持儒家立场的二程来说,思想冲击很大。自李翱以来吸收佛教思想而改造儒学的思路对二程当有一定的启发,使其更加坚定从佛老那里吸收营养的信念。所以,像其他儒者一样,他们对于佛教表现出既批判又吸收的辩证态度,这对于新儒学理论的建构发挥了极其重要的作用。他们不是对佛道思想展开全面的批判,也不是针对某些理论命题展开逻辑解剖,而是抓住其生活方式及宗教行为,考察其思想倾向及观念形态。正如卢国龙先生所言,他们的批判主要在于"批判老子将道德仁义礼智割裂开来的历史观,至于纯粹的理论层面,则从其'理一而分殊'的观点出发,对佛教华严宗理事无碍、庄子之齐物、道教内丹的造化生成之理等,有所认同"②。任何一种理论都不应该是一种封闭的体系,只有在开放中才能有其持久的强大的生命力。二程对佛道批判和吸收,是从他

---

① 孙晓春:《两宋天理论的政治哲学解析》,《清华大学学报》2004 年第 4 期。
② 卢国龙:《宋儒微言》,华夏出版社 2001 年版,第 352 页。

们自身的理论逻辑和文化情感出发,服务于重建文化体系这样一个总目标,具有较强的主体性。二程的以佛摄儒思维此后渐被后世儒学者广泛接受,成为此后宋明理学进行深度理论发展的重要取向。

二程兄弟立足儒家本位,通过广泛吸收传统思想的精华,通过对"天理"核心范畴的统领,实现了儒家经典系统由"五经"向"四书"的转移。这样的理论建构对后世的文化发展产生了非常重要的影响。此后的儒学基本都是沿着大程和小程所开辟的路径而展开,形成了中国传统社会后期稳定而统一的思想格局,从社会管理的角度来说,其贡献恐在董仲舒"罢黜百家,独尊儒术"之上。

三、对当前中原文化建设的启示

依此而言,二程兄弟面对佛老挑战所进行的对儒学的理论改造,是中原文化在外来文化的冲击下所进行回应的成功范例。这对于当前文化建设具有非常重要的方法论启示。

首先,在今天文化大发展的时期,既要充分认识到思想文化对于社会可持续发展潜在而持久的力量,又要抓住当前文化建设的核心问题。改革开放四十多年来,中国在物质文明上取得了卓越的成就,人民的物质生活水平提到了新的高度,这是许多西方大国所难以想象的。我们曾经有过"什么才是社会主义?以怎样的方式建设社会主义?""建设一个什么样的党?如何建设这样的党?"及"什么是真正的发展?如何实现这样的发展?"等困惑,那么在今天,应该充分认识到思想文化对社会稳定和经济发展的强大力量,不只是像过去只是一个精神动力和智力支持的问题,它本身也是实现经济参与的重要因子,经济搭台、文化唱戏的格局只是在浅表意义上对文化的附带提及,对其真正重要作用的认识是有偏失的。"建设什么样的文化?如何建设这样的文化?"成为今天面对的核心问题。这个问题是我们从社会发展的大局出发所应看到的首要基本问题。从当年《关于加强精神文明建设若干问题的决定》到十九届四中全会决议,我们对于文化的重要地位的认识经过了数十年的曲折历程,历史和现实充分地说明,文化力已经成为国家发展的重要支撑,而且随着社会的发展,其重要性将越来越明显。抓住时代理论发展的核心问题,拣择出最能够体现时代特色、反映时代声音的话语,通过系统的研究,像二程兄弟一样,真正实现对文化、社会发展的引领作用,正是当务之急。中原是中华文明的发源地之一,厚重的中原文化为中原崛起提供了有力的文化支撑,而中原崛起的未来发展则需要更多的文化指引和激励,因此,中原文化迎来了发力的机会①。从第二个层面来看,如何让厚重的中原文化释放出巨大的吸引力,这成为当前文化建设的核心问题。抓住这一核心问题,凝心聚力,在区位文化特色的挖掘、文化创意能力的提升、文化传播手段的改进、文化消费能力的开发等方面得到综合提升,当前文化强省战略的实施方有可能。

其次,在今天文化大发展之际,应该有效盘活传统文化的优势资源,建立并重塑可靠稳定的价值传承经典体系。经典是任何一个社会的思想文化负载,也是实现文化发展不可忽视的重要依托。二程抓住了经典重组这个理论建构的重要问题,将过去不太受重视的《大学》《中庸》《孟子》等经典提升到非常重要的位置,实现了传统儒学理论的创造性转化。在当今时代,如何建立新时期适应社会和时代发展的经典体系,关键在于抓住文化发展脉络,从文化自身的发展逻辑和规律入手,拣择出能够真正担当起传承民族精神,又能走向世界的代表中华文化精神的经典,并将其体系化,让世界人民共享中原文化的优秀成果。在目前的经典工程中,主要存在着如下几个问题:第一,如何实现传统与现代的对接、本土与西方的会通,如何处理好继承和发扬中原传统文化资源、吸收西方文化精华与坚持马克思主义意识形态之间的关系问题。任何时代都应当有其主流思想,但主流思想又不是唯一思想,处理好主流与多元之间的关系,是推进文化建设、文化繁荣的重要方面,只有如此,在"百家争鸣,百花齐放"精神指导下的文化大发展才有可能实现。第二,如何处理好传统文化载体与现代文化形象塑造之间的关系问题。中原文化作为一种推动社会主义市场经济发展的重要力量,对于重塑改革开放中的河南人民形象具有十分重要的作用。此时,"人们头脑中的意识形态及观点并不十分重要,他们现在生活在一个是文化而不是任何意识形态在起作用的时代"。这种文化无所不在,它"体现在各种媒介、电视、快餐、郊区生活等各个方面"②。历史的文化传承与

---

① 张颐武:《传播中原文化要"两条腿走路"》,《河南日报》2012年6月28日。
② [美]杰姆逊:《后现代主义与文化理论》,北京大学出版社2005年版,第26页。

创新靠什么？可能一般人会认为是历史书籍等，而著名剧作家高满堂却认为，"应该是历史与文化的典型形象"。民众对历史文化的接受不是先读史书，而是先了解历史文化典型形象以后再翻阅历史，所以说只有历史而缺乏历史文化典型形象是难以传承的。河南的历史文化传承到今天，文化典型形象起了很重要的作用。像岳飞、包公、杨家将等，这些形象千古流传、妇孺皆知，形成中原文化的磅礴气派①。在中原文化史上所出现的文化经典《道德经》《墨经》等无疑对于文化传承起到了重要作用，但在新时期我们更应该跳出原有的思维模式，不仅关注精英文化的传播与重塑，更要加强俗文化的科学引领与文化形象的塑造，打造出既富有中原文化特色、文化底蕴的文化经典，又塑造出贴近老百姓生活，为其所喜闻乐见的能够真正展现当代河南人新气象的文化形象，让世界了解中原，让中原借由文化而走向世界。

  再次，要善于突破文化发展的旧思路，以新的方法和视域重新审视和整合传统思想资源并进行有效的理论建构。中原文化是华夏文明之根，而河洛文化又是中原文化的理论核心和精粹之所在。作为河洛文化的重要内质的二程理学正是实现了从天人相分到天人合一的方法上的推进，才使其理论具有了强大的生命力，有效地应对了佛老的挑战。如何发掘传统中原文化的优势资源，为今天的中原经济区建设服务，是实现中原崛起的关键环节之一。二程理学对传统文化尤其是传统中原文化的价值提升方法，对我们最大的启示即在实现方法上的拓新：在传承中实现优化组合，注重其思想方法的价值；在创新中实现传统与当代的有效对接，着力于文化品格的有序提升。基于此，我们首先应从思想上认识到当前文化发展的根本动力来自文化自身的发展已经不能满足人们精神生活的需求，亦与我们目前的综合国力极不相称有很大关系。如何抓住当前古今中西之辩中的核心问题，进行以文化人和以人化文的有机结合，按照文化本身的既有问题进行文化性的回应以谋求解决之道，这才是文化大发展、大繁荣的重要前提。第二，也应该看到，文化的传承与创新不只是要在我们的主流宣传层面上努力，更要把它作为新时期民众生活

---

① 《文化中原需要新的典型形象——访著名编剧、中国电视剧编剧委员会会长高满堂》，《河南日报》2012 年 3 月 26 日。

品质提升的重要组成部分和考察点纳入社会评价体系中来,真正实现发展观的转型与跨越。以此为指导,进一步加快构建覆盖城乡的公共文化服务体系,加强重点文化设施建设和基层文化基础设施建设,深入实施重大文化惠民工程,提高公共文化服务水平[①]。传统不能只是停留于人们猎奇的对象和茶余饭后的娱乐对象,而是应该通过多样化的形式不断强化其当代价值,使其在中原经济区建设和中原特色发展道路的打造上,真正扮演起重要的角色并发挥其应有的功能。第三,不断打破"守旧"思想,激发文化创造活力。在一些人的"传统文化观"里,存在着不少阻碍我们走向现代化的惰性因素。比如,本分守旧,不利于创新迸发活力,影响发展速度;安土重迁,不利于生产要素自由流动,影响市场化;小农意识,不利于农业规模化经营,影响农业现代化。文化强省战略的实施,就是要不断地革故鼎新,激发和创新能够推动时代发展的文化因素。

最后,要将开放的胸襟与深入的思考结合起来,善于从异质文化中吸取营养,在中西融合与古今会通中,本着跨地域的视野,打造中原地域文化的特色。二程理学之所以开启了后世儒学发展的重要方向,一个非常重要的方面在于积极吸取了异质和异域文化的营养。而如今如何更为有效地熔铸古今、会通中西成为新时期文化发展的重要方面。就中原文化的发展而言,要看到如下两个方面:第一,历史上的中原文化具有兼容众善、合而成体的鲜明特点。它借由经济、战争、宗教、人口迁徙等众多渠道,吸纳了周边多种文化中的优秀成分,实现了物质文化、制度文化和思想观念的全面融合与不断升华。第二,一度对中原文化的发展产生极大影响的"夷夏之辨"亦在相当意义上促进了中原文化的发展。如有学者所言,"夷夏之辨"是"夷夏"文化的比较过程,通过比较,双方都发现了对方的长处和不足,这为文化融合创造了可能的基础[②]。尽管国人曾以"夷夏之辨"来自觉抵制外来文化的冲击,维护中原文化的核心地位,但事实证明,对于思想文化而言,一味地以地域强分优劣并进行人为的杜绝和抵制,并不能确保和维护本土文化自身的地位。只有积极吸收其他文化为我所用,熔铸成一种新型的文化才能战胜并超越异域文化。超

---

① 徐光春:《中原文化与中原崛起》,河南人民出版社2007年版,第352页。
② 王天保:《"夷夏之辨"与中原文化》,《郑州大学学报》2008年第5期。

越地域是为了更好地打造地域特色,而不是盲目地趋同化。历史上中原文化所表现出来的超强的包容力也将是我们新时期助推文化建设不可或缺的良好因子,通过多种方式实现与异域或异质文化的有效对接,将其中的精华积极纳入中原文化发展中,是我们义不容辞的责任。

一度对东亚儒学乃至东亚文化产生重要影响的程朱理学,正是因其对中原思想文化进行了卓有成效的整合与重构,才使得中国文化尤其是儒学文化真正成为举世瞩目的文化样态。要在综合实力得到显著提升,西方文化的渗透力越来越强大的背景下,使得中原文化成为备受瞩目的符号,从本有的文化发展路径和方法中汲取营养,进而在未来真正意义上建构起有中原作风、中原气派的文化,成为当前华夏历史文明传承创新区建设不可或缺的重要环节。

On Value Improvement and Significance of the Central Plains Culture Based on the Two Cheng Masters' Principles

WEI Tao

(School of History, Zhengzhou University, Zhengzhou, Henan, 450001)

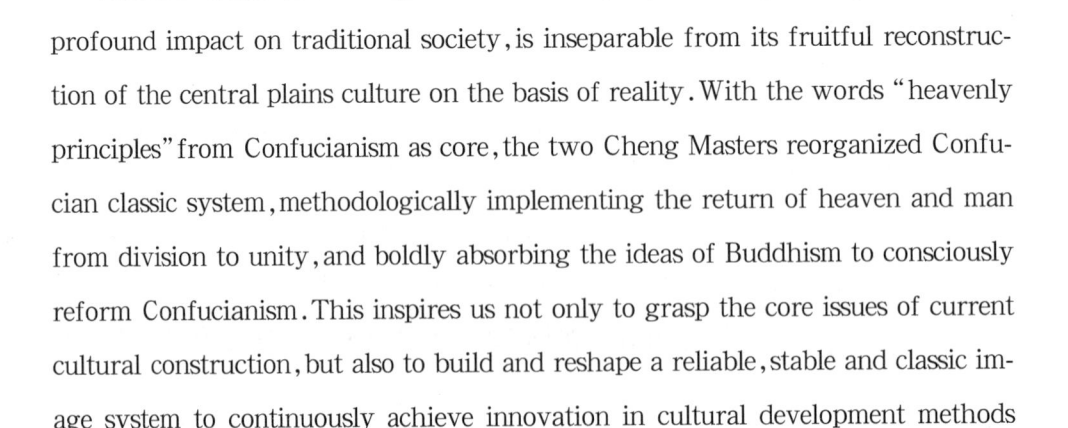

Abstract: The two Cheng Masters' Principles, chosen by history and made a profound impact on traditional society, is inseparable from its fruitful reconstruction of the central plains culture on the basis of reality. With the words "heavenly principles" from Confucianism as core, the two Cheng Masters reorganized Confucian classic system, methodologically implementing the return of heaven and man from division to unity, and boldly absorbing the ideas of Buddhism to consciously reform Confucianism. This inspires us not only to grasp the core issues of current cultural construction, but also to build and reshape a reliable, stable and classic image system to continuously achieve innovation in cultural development methods and integration and communication with heterogeneous cultures. This is an indispensable part for the construction of a culture with the Central Plains style.

Key words: the two Cheng Masters' Principles, the Central Plains culture; cultural construction

二程天理视域中的公平与正义

冷万豪

（河南工学院 经济学院，河南 新乡 453003）

摘　要：从当代政治哲学的视角去思考二程的理学思想，二程的理学思想具有政治哲学的特征：合"理"不仅是已然社会政治的合法根据，也是应然社会政治的内在要求；社会政治制度的正义依据个人合乎天理的道德正义；作为社会公平的正义美德依据人的去欲存理的公心。

关键词：二程；天理；公平；正义

哲学家生活在一定的现实政治生活中，无论他们多么不食人间烟火，他们的哲学多么超越形下的世界，他们都会对现实社会政治从自己哲学角度作深刻的反思，形成他们独具特色的政治哲学思想。作为人类存在方式的社会政治形态的根据是什么？什么样的社会政治形态才是好的？社会政治的善是正义公平吗？人类追求的社会政治形态应该是什么？这些虽然是现代政治哲学的内容，但对于中国古代哲学家来说，他们的哲学都多少涉及了对这些问题的思考。二程作为理学大家，也对这些问题从天理论的角度进行了阐释。

一、合"理"——应然社会政治的内在追求

政治是人类存在的方式，人类所以能发展到现在的状态，得益于他们在长期的

作者简介：冷万豪（1990—　），男，河南工学院经济学院助教，哲学硕士，主要从事中国传统哲学及科技哲学研究。

进化中所构建的政治存在形态。正如荀子所说:"力不若牛,走不若马,而牛马为用,何也?曰:人能群,彼不能群也。人何以能群?曰:分。分何以能行?曰:义。故义以分则和,和则一,一则多力,多力则强,强则胜物。"(《荀子·王制》)人所以能为万物之灵,就在于人能组成一个社会群体,而社会群体建立在"分"的基础上。分则意味着分职、分权、分利、分层。如何把社会不同分子组合到一块,并使这个组织和谐有序,使其能量得到最大的发挥,这是政治的内容。

人类作为社会群体的存在首先表现为一个政治组织形式,无论这个政治组织形式是一个部落、一个王朝或是一个立宪政体。政治组织形式的功能首先是管理或统治,即社会一部分人对社会公共事务的管理或对另一部分人的统治。据此就出现了一个问题:作为政治统治的合法性是什么?近现代以来的许多思想家对政治合法性问题作了探讨,如德国著名社会学家马克斯·韦伯、英国的政治学家大卫·比瑟姆等。比瑟姆把国家政权的类型区分为神权政治型、军事专政型、法西斯型、共产主义型、自由民主型。中国古代的政权基本上是君权神授型,即王权来自上天神权。但在君权神授中,有"天授有德型",认为上天授权具有条件性,其条件就是被授予政权的人具有顺应民意、救民水火、宽厚待民的品德。西周初年,周公在全面总结殷商亡国教训的基础上,提出了"以德配天"说。孔子、孟子继承了周初的"以德配天"思想,形成了儒家"以德治国"的政治理念。

程颢、程颐兄弟俩继承了孔孟儒家"以德配天"的思想。但在他们那里,所谓的天既不是"天神",也不是"天命",而是"天理"。天理不具有人格神的意义,也不具有无形主宰的天命意义,它是事物背后所具有的当然之则和所以然之理。"天下物皆可以理照,有物必有则,一物须有一理。"(《二程遗书》卷十八·伊川先生语)二程认为,天命是天道流行在事物中的体现,是事物成为该事物的内在规定性。一个事物当且仅当自身所呈现的样子(当然),不仅具备了所以如此的理(所以然),也具备了应该如此的样态,"在天为命,在义为理,在人为性,主于身为心,其实一也"(《二程遗书》卷十八·伊川先生语)。当人们说天命的时候,似乎指天在有意命令人一样,其实不然,事物自身的样子(天理当然)就是天命。"天命犹天道也,以其用而言之则谓天命,命者,造化之谓。"(《二程遗书》卷二十一·伊川先生语)二程认为,一个合法的政治其合法性来自天理,社会按照天理所呈现的样子就是命。"知天命,是达天理也。必受命,是得其应也。命者是天之所赋予,如命令之命。天之报应,皆如影响。得其报者是常理也。……且天命不可易也。然有可易者,惟有德者能之。"(《二程遗书》卷十五·伊川先生语)

二程以天理释天命,在政治学上具有重要的意义。他转换了儒家在论证社会政治合法性方面的视角。天命论(包括君权神授论)论证的是已然的社会政治,主要为那些已经成王的政治统治寻找合法性的根据。中国古代历史上那些改朝换代的帝王无不为自己的合法统治地位寻找神学天命的根据。周代以后,虽然强调统治者"以德配天",统治者的"德"成为其合法统治的一个主要方面,但天仍然是其合法性统治的最终根据,况且统治者自身"德"的确认也是一个问题。有德的统治者往往是那些"胜者为王"的人,而"败者为寇"是没有德可言的,如唐太宗,按照儒家的标准,他的"德"在哪里呢?"唐太宗,后人只知是个英主,元不曾有人识其恶,至如杀兄取位。若以功业言,不过只做得个功臣。……分明是篡也。"(《二程遗书》卷十七·伊川先生语)因此,二程哲学在反思社会政治统治合法性的时候,就不再以天命神权来解释社会的变迁,解释政权朝代的更迭。他以"天理"取代"天命",以对社会政治进行"合理性"的阐释来取代"合法性"的论证,即一个政权的存在不是根据天命的眷顾,而是合乎天理的运行。理是"先天"地存在于事物中的,"先天"意味着"天然",它"不为尧存,不为桀亡"(《二程遗书》卷二·二先生语)。在社会政治变迁中,一个社会政治的合理性不是天命神授,而是合乎社会自身发展的内在道理,合乎社会发展的大势。因此,二程天理论的政治观不是为已然的社会政权统治寻找合法性,而是为社会政治发展寻找"应然"的状态,即一个理想的社会政治"应该"是一种什么样的状态。当然,按照二程的理解,一个"应然"的社会政治是合乎社会历史发展内在规律的。

不仅如此,二程认为,一个应然的社会政治还应该合乎人类的理性。即是说,一个应然的社会政治应该是人类理性建构的社会,社会政治既不是建立在统治者个人欲望上的,也不是建立在某些个人才能的展现上,而是建立在对自然物理、社会伦理充分把握的基础上。圣王、圣人所以能得到人民的拥护,不在于他们本身的激情、欲望和才能,而在于他们对"天理"的认识和遵循,或者说,他们的出现就是天理的体现。古今客观存在一个公共的道理,只有理解和把握了这个道理,才能出现好的社会政治。尧、舜、禹等圣王都是在得"道""理"后才具有了政治统治的品德。二程认为,好的政治必须具备两方面:一是社会政治必须建立在"德"的基础上,这是对儒家"以德配天""以德治国"思想的继承,但是,与此前不同的是,二程不再把"德"理解为具体的社会道德规范,而是把德理解为对天道、天理的把握和实践。如此,儒家的德治便具有了形上学的意义。二是社会政治必须建立在"得道成德"基础上。如何"得道成德",二程认为,必须经过"格物穷理"理性认识过程,才能真正地齐家、治国、平天下。在对《大学》的阐释中,二程从天理论的角度对大学的"格物致知"作了阐释,不仅个人的道德修养(内圣),而且社会政治的治理(外王)都要建立在对"理"的认知上。一个应然的社会政治不仅要合乎外在的天理,更要合乎人的理智。合"理"是应然社会政治的标准。在二程看来,国家之理就是先王所讲所行的治道,它并不是某种主观的东西,它客观地存在着。圣贤与英雄的区别就在于:圣贤是真正的能够认识"理"并遵循"理"的人,而后世所谓的英雄豪杰只是"随其分数"或多或少地暗合了社会发展的"理"。

二、公心——社会政治公平的基础

在为政上,二程强调"公"。"公"在中国古代哲学以及中国政治中是一个重要的概念。《礼记·礼运》为人们设计了一个理想的大同社会。大同社会最主要的特征是"天下为公"。"公"不是一个道德范畴,而是一个政治概念:在经济上主要指财产资源为天下所有,而不是为某一人、某一家所有;在政治上指公正管理,或每人所应当承担的社会责任和义务;在道德上指人所具有的为天下、国家整体考虑的品德。因此,《礼记》中的"公"有三层含义:财富公有,政治公正,道德公心。与现代政治哲学所讲的"公平"有意义相通的地方。"天下为公"既揭示了社会财富、社会资源为人平等地占有,也揭示了社会政治组织的公平正义,更揭示了人们应当具有的公平心理和品德。

完全公平的社会在现实中并不能实现,"大同社会"只是一种理想的社会形态。因此《礼记》接着就又设计了一个比较接地气的"小康"社会。"小康"社会是建立在"天下为家"的私有制上的。在一个私有制社会里,为了确保社会的公正,就需要各种政治、军事、法律制度以及能很好地推行各种公正政策的人。《礼记》认为,要确保小康社会的公正,必须由那些具有公正品德的人来管理国家,"禹、汤、文、武、成王、周公,由此其选也。此六君子者,未有不谨于礼者也"(《礼记·礼运》)。把社会的公平公正寄托在礼仪规范上,寄托于具有礼仪品德的圣王身上,是儒家社会政治思想的典型特征。

二程继承了《礼记》的思想,他意识到"天下为公"的社会只是远古社会的一个传说或者是未来社会发展的一个理想。因而他更注重在"天下为家"的社会状态下如何使一个社会政治公平公正。二程认为,一个好的社会、一个应然的社会政治是合乎"公理"的社会,不仅这个社会政治的建构要"合理",而且这个社会的管理也要由那些经过"格物穷理"而把握了社会"公共道理"的人来统治。"大学曰:物有本末,事有终始,知所先后,则近道矣。人之学莫大于知本末终始。致知在格物,则所谓本也,始也。治天下国家则所谓末也,终也。治天下国家,必本诸身。其身不正而能治天下国家者,无之。格,犹穷也;物,犹理也。犹曰穷其理而已也。穷其理,然后足以致之,不穷则不能致也。格物者适道之始。欲思格物,则固已近道矣。是何也?以收其心而不放也。"(《二程遗书》卷二十五·伊川先生语)只有这些人在社会管理上能出于"公心",保证社会政治的公正。

现代政治哲学认为,一个公平公正的社会政治要由各种法律制度来保障,但二程认为,法律必须是道的体现,治国有治道,有治法。治道是体,治法为用。"治国齐家以至平天下者,治之道也。建立纲纪,分正百职,顺天揆事,创立制度,以尽天下之务,治之法也。法者,道之用也。"(《二程粹言》卷上)

一个公正的善的社会政治固然需要法律制度的保证,但是法律制度最终要依赖人来实施,如果没有高素质的管理者,再完善的法律制度也不会得到很好的执行。反之,即使没有完善的法律制度,只要管理者是一个具有正义的人,他也会在管理中弥补法律的不足。"吕进明为使者河东。子问之曰:为政何先?对曰:莫要于守法。子曰:拘于法而不得有为者,举世皆是也。若某之意,谓犹有可迁就不害于法而可以有为者也。昔明道为邑,凡及民之事多众人所谓于法有碍焉者。然明道为之未尝大戾于法,人亦不以为骇也……尽诚为之,不容而后去之,又何嫌也。"(《二程粹言》卷上)

那么,什么样的人才能使社会公平公正呢?二程认为是那些在社会政治事务中能坚持公平正义的人。能坚持公正的人要具备两方面的素质：一是对治道的高度认识和把握，"圣人致公，心尽天地万物之理，各当其分。圣人循理，故平直而易行""忠者，天下大公之道，恕所以行之也。忠言其体，天道也；恕言其用，人道也"（《二程外书》卷二）。二是在对社会治道充分认识的基础上，培养一颗能在社会管理中秉公办事的"公心"。二程认为，在社会治理方面，只有那些心存天理、出于公心的人才能克制自己的私欲，在政治行为中实现公平公正。程颢说，"一心可以丧邦，一心可以兴邦。只在公私之间尔"，"仁者公也。仁者，天下至公，善者本也"。程颐说"圣人以大公无私治天下"，"公天下之事，苟以私意为之，斯不公矣"。（《二程粹言》卷上）"仁者用心以公，故能好恶人。公最近仁。人循私欲则不忠。公理则忠矣。以公理施于人，所以恕也。"（《二程外书》卷四）

与现代所提倡的社会公平需要制度保障不同，二程把社会的公平实现建立在人们对"公理"的认知上，建立在人的"公心"品德培养上。"一言可以兴邦，公也；一言可以丧邦，私也。公主明。"（《二程外书》卷三）善政出于善心，善心出于公心。"与人为善，乃公也。"（《二程外书》卷二）二程最终没有走出儒家"德治"的政治范式。

三、个人道德正义是社会制度正义的根本

谈到正义，人们首先想到的是现代民主社会的正义。很难把正义与封建的社会政治联系起来。实际上，不仅民主共和的政治形式、君主立宪的政治形式存在着正义，封建制度的政治形式也有正义。中国古代社会虽然是君主专制的政治制度，但是在这个政治制度内也是要提倡社会正义的。很难想象，一个没有正义的社会政治会存在或者会存在很久。在这里需要注意的是，不能以现代民主社会的制度正义来要求古人。按照现代民主社会的政治正义来衡量，古代封建社会根本没有正义可言。但令人费解的是，古代的封建政治制度（包括不少朝代）存在了很多年，也出现了太平盛世。很显然，在封建制度之内，还是存在着社会正义的，如中国古代的科举考试，体现了社会参政的公平机会。

罗尔斯在其《正义论》开篇说："正义是社会制度的首要德性，正像真理是思想

体系的首要德性一样。"①即是说,一个善的社会政治制度最大体现就是正义。罗尔斯把正义主要理解为社会制度的正义美德。实际上,正义作为一种美德,应包含有两种理解:一种是作为个人美德的正义;一种是作为社会制度美德的正义。虽然都是一种美德,但前者更多表达了道德哲学的意义,而后者表达的是政治哲学的意义。与罗尔斯不同,二程认为,一个好的社会政治必须以个人的正义品德为基础。没有人的正义美德,良好的社会秩序就无从谈起。

在二程理学之前,封建的社会政治所倡导的正义主要是孔孟儒家所倡导的作为个人品德的"义"。孔子、孟子认为,义是人处理各种人事关系、人物关系所表现出的适宜恰当的决定和行为。适宜恰当是说一个人的决定和行为既利己又利人,甚至只利人(社会)不利己(舍生取义),用现代的语言表述就是:当且仅当你的行为选择在满足自身时也能满足他人,或者是更多地满足他人,或者起码不损害他人。儒家的这个"义"表面看是纯道德的行为,实际上是建立在人与人利益关系(不仅仅是经济关系)上的,表达的是人们在利益行为选择中体现出的适度原则。舍生取义是一种特殊极端的形式,但也是建立在价值多少换算基础上的:为救十个人而牺牲一个人这个划算;为人格尊严、为整体道德价值而牺牲个人,在一些人看来不划算,但对牺牲者个人来说,他可能把人格尊严、社会道德价值看得比自己的生命价值高。但无论如何,义既然是人们在利益关系中行为选择的适度原则,那么它就具有了社会正义的意义。《中庸》为义作了一个很好的界定:"义者,宜也。"

问题是,义的标准是什么?在利益关系中,什么样的行为选择才是适度的、恰当的?二程解决了这个问题。"在物为理,处物为义。"(《二程粹言》卷上)义的标准是行为选择中的合理原则。二程哲学的最高本体是天理,天理体现在自然万物中就是诸如水寒火热的物理,体现在社会万事上就是"公共的道理",体现在人身上就是人的性理。合乎天理、合乎公理、合乎性理是人行为抉择的标准。自然规律、社会公理、人的本质成为择义的价值取向。

"义"是人在利益关系中"合理"的行为选择。因为它合理,所以是善的、好的行为,是值得大力提倡的德性和德行。反之,不合理的行为选择就是恶的、坏的行为,

---

① [美]约翰·罗尔斯:《正义论》,中国社会科学出版社2009年版,第3页。

是需要加以拒斥的。在利益关系中,不合理的行为就是对"利"的过分追求。二程认为,义并不是一味地排斥利,作为人情,人不可能没有欲望。"因人情而节文之者,礼也;行之而人情宜之,义也。"(《二程粹言》卷上)关键在于人们在满足自身欲望的时候要合天理、合公理、合人性。特别在做事的时候,不能一开始就把利放在首位,如果把利看成是第一性的,那么在此后的行动中不可避免要陷入利益泥潭中,哪里还会有正义可言呢?"圣人于利不能全部较论。但不至于妨义耳。乃若惟利是辨,则忘义矣。"(《二程外书》卷七)"义利云者,公与私之异也。较计之心一萌,斯为利矣。"(《二程粹言》卷上)"举措合义,则民服。"(《二程粹言》卷上)

二程突出了义的"合理"性,与之前的义利观相比,虽然他的"公理""定理"仍主要是社会道德的规范,但它们强调了人的正义行为是对自然规则、社会规则、人性规则的遵循,在一定程度上涉及了社会政治的正义问题。另一方面,二程仍然没有超越儒家把个人正义放在社会制度正义之上的范式,在这个问题上,与孔孟儒家保持理论上的一致性。当然,这与现代罗尔斯等人强调社会制度正义的思想有很大的区别。不过,我们不能据此认为,儒家特别是二程强调个人正义品德的思想就一点没有意义。毕竟作为社会制度的正义美德最终要依靠人的正义美德的培养。罗尔斯最后也意识到了这一点,而美国当代著名伦理学家麦金太尔就直接指明了这一点:"正义的规则只有对那些具备正义美德的人来说才是有意义的。"[1]

---

[1] [美]阿拉斯戴尔·麦金太尔:《谁之正义? 何种合理性?》,当代中国出版社1996年版,第56页。

Fairness and Justice from the Viewpoint of the Two Cheng Masters' Heavenly Principles

LENG Wanhao

(School of Economic, Henan Institute of Technology, Xinxiang, Henan, 453003)

Abstract: From the perspective of contemporary political philosophy, the two Cheng Masters' principles of things have the characteristics of political philosophy. Abidance by principles of things is not only the legitimate basis of social politics, but also the inherent requirement of social politics. The justice of social-political system depends on moral justice that individuals abide by principles of things. Virtue of justice as social fairness depends on human's desire for justice.

Key words: the two Cheng Masters; heavenly principles; fairness; justice

横渠"两由""两合"再诠释
——"由""合"概念的提取

席中亚

(郑州大学 历史学院,河南 郑州 450001)

摘 要:张载在《正蒙》卷首以"由""合"二字语汇贯通了北宋道学思想体系下的"太虚""天""气""道""性""心"等理学范畴,从而架构、铺设出"天道性命相贯通"的哲学体系。在"两由""两合"的文本诠释中,张载从形上学的角度描摹、勾勒了其气学世界中体用理论、天人关系、心性理路的哲学图式。

关键词:张载;《正蒙》;两由;两合

张载"两由""两合"之语,出自《正蒙·太和》第十二章,即"由太虚,有天之名;由气化,有道之名;合虚与气,有性之名;合性与知觉,有心之名"①。牟宗三在《心体与性体》中曾说:"'由太虚,有天之名'等四句,将移下分两节专讲:一节将借之吸收《诚明篇》以名性,一节将借之吸收《大心篇》以名心。"②其实,牟氏对横渠"两由""两合"之语的把握似有偏颇之处③,他将张载的哲学体系划到"五峰、蕺山一系",这与当代张载研究的气学理路明显呈现着一种脱节、割裂的现象。基于这样的认

作者简介:席中亚(1997—),男,河南驻马店人,郑州大学历史学院2017级中国古代思想史专业硕士研究生,主要从事北宋思想史研究。

① [宋]张载:《张载集》,中华书局1978年版,第9页。
② 牟宗三:《心体与性体》,上海古籍出版社1996年版,第468页。
③ 正如杜保瑞所言:"牟宗三就以实体创生义的道德概念构建他的道德的形上学以为新儒家的核心观点,但却也造成对宋明理学各家系统的误解与错解。"见杜保瑞:《牟宗三先生平议》,台湾商务印书馆2017年版,第153页。 虽然笔者并不完全赞同杜保瑞所提出的以上论点,但不可否认的是牟宗三在张载哲学的诠释路径与方法上是存在着缺失与问题的。

知差异,笔者尝试立足于经典文本重新融构张载"两由""两合"语汇呈现的思想体系。

一、咬文嚼字,斟酌推敲——"由""合"二字疏义分解

理解张载"两由""两合"的语汇,须以"咬文嚼字"的较真态度进行字义疏解,并且以反复推敲、字斟句酌的方法将其打磨、定型,以透视张载哲学理论的核心思想。

关于张载"由"字的理解,林乐昌在《正蒙合校集释》中如是道:"由,介词,自也,从也。例,《孟子·梁惠王下》:'礼义由贤者出。'此处张载用'由',有'借助'之义。"[1]的确如此,《尔雅·释诂》上有曰:"由,自也。"郭璞注:"自,犹从也。"[2]其次,纵观《张载集》凡出现"由"字者,有135次之多。仔细推敲,可发现此横渠之"由"带有较为明显的哲学概念意味,如下:

"由太虚,有天之名;由气化,有道之名。"[3]

"'变则化',由粗入精也,'化而裁之谓之变',以着显微也。"[4]

"'自明诚',由穷理而尽性也;'自诚明',由尽性而穷理也。"[5]

"由象识心,徇象丧心。知象者心,存象之心,亦象而已,谓之心可乎?"[6]

"人谓己有知,由耳目有受也;人之有受,由内外之合也。"[7]

"洪钟未尝有声,由扣乃有声;圣人未尝有知,由问乃有知。"[8]

"凡物莫不有是性,由通闭开塞,所以有人物之别,由蔽有厚薄,故有智愚之别。"[9]

---

[1] 林乐昌:《正蒙合校集释》,中华书局2012年版,第65页。
[2] 郭璞注,王世伟校点:《尔雅》,上海古籍出版社2015年版,第3页。
[3] [宋]张载:《张载集》,中华书局1978年版,第9页。
[4] [宋]张载:《张载集》,中华书局1978年版,第16页。
[5] [宋]张载:《张载集》,中华书局1978年版,第21页。
[6] [宋]张载:《张载集》,中华书局1978年版,第24页。
[7] [宋]张载:《张载集》,中华书局1978年版,第24页。
[8] [宋]张载:《张载集》,中华书局1978年版,第31页。
[9] [宋]张载:《张载集》,中华书局1978年版,第373页。

纵观以上材料，不难发现：张载言某一对象（或为他物，或为义理）的变化与发展大多采用"由"字作为衔接，并且通过此"由"的概念，将太虚与天、气化与道等语汇有机地勾连起来，以此展开哲学架构，立论出天之名缘于太虚，道之名缘于气化的思想语汇。除此之外，张载所言的"由"字并非是绝对的单向联系。再如张载以"变化之于粗精""明诚之于穷理尽性"等语诠释思维的互通性，赋予"变化""明诚"以双向互动性的哲学内涵。

值得一提的是，张载的"由"字是否具有维特根斯坦《逻辑哲学导论》中所提到的"运算"性质呢？这恐怕需要假以大量的笔墨方能说得明白，但可以肯定的是两者存在一定的思想分歧：其一，张载在其话语体系所彰显的那些哲学范畴，如"气""心""性"，是不能简单划入逻辑哲学中的命题论的。其二，维特根斯坦的逻辑概念与张载所言之"由"的确都有着知识、思维、先验、超越的形上性，但是终极的目的指向不同。维特根斯坦追求真理的绝对正确性与形式的表达，而张载则融贯"道德""知识"，通达了牟宗三所言的"天道性命相贯通"的理学性格。所以说，张载言"由"是否形成具体的哲学概念尚难斟定，但是此"由"字在其话语体系中所彰显的哲学意蕴是不可忽略的。

再看张载所言的"合"字疏解，在《张载集》中出现"合"字凡180次有余。"合"字在《张载集》如此频繁地出现，亦不可轻易忽视。除却《横渠易说》之特殊语义之外，即"合志"①，对于张载"合"字的理解，亦不能仅仅以"相感、相合"之语②简单释之，应该从多层次的角度进行解读，如下：

（1）合而生成义，即某一对象或某两个对象相感、相合而生成一新的对象。

"游气纷扰，合而成质者，生人物之万殊。"③

"浩然无害，则天地合德；照无偏系，则日月合明；天地同流，则四时合序；酬酢不倚，则鬼神合吉凶。天地合德，日月合明，然后能无方体；能无方体，然后能无我。"④

---

① "合志"之语，大多出现于《横渠易说》。
② 林乐昌：《正蒙合校集释》，中华书局2012年版，第66页。
③ ［宋］张载：《张载集》，中华书局1978年版，第9页。
④ ［宋］张载：《张载集》，中华书局1978年版，第33页。

"合阴与阳而立天之道,合柔与刚而立地之道,合仁与义而立人之道。"①

纵观以上材料可见,在张载看来,游气纷扰相感、相合生成人物万殊;阴阳、刚柔、仁义相感、相合生成天、地、人之道。这种生成义是因袭张载对于《周易》"生生之谓易"的再延续,这也彰显出宋代儒者对于先秦儒学的新的诠释,即将儒家的造化之说与生命哲学充分融入到圣贤、天地境界之中。除此之外,张载在《正蒙》中的"日月相推而明生"之语,更是论证此处"日月合明"之"合"的创生、造化意义。

(2)合而无差别义,即合乎两者,视之为无等差之物,不分彼此之间,犹如平物我的哲学理念,合内外而无分。

"人谓己有知,由耳目有受也;人之有受,由内外之合也。知合内外于耳目之外,则其知也过人远矣。"②

"立本既正,然后修持。修持之道,既须虚心,又须得礼,内外发明,此合内外之道也。"③

"合内外,平物我,自见道之大端。"④

"有无一,内外合,庸圣同。"⑤

"人当平物我,合内外,如是以身鉴物便偏见,以天理中鉴则人与己皆见,犹持镜在此,但可鉴彼,于己莫能见也,以镜居中则尽照。"⑥

观以上横渠之语,此处"合"字的意义大多与"内外"之说相联系。其实,张载在《正蒙》中便有"气无内外"的提法,但并不是绝对地不讲内外,而是提倡不区分内外之辨,讲求内外无差,这便是"无内外之别"的"合"字语义。这种无差别义颇类似于庄子所讲的"齐物论",即泯灭物我之间的差别,等同于一。但是,张载给出的无差别义是一种后天工夫论下的消弭,而非庄子给出的绝对的、先验的无差别义。所以,

---

① [宋]张载:《张载集》,中华书局1978年版,第393页。
② [宋]张载:《张载集》,中华书局1978年版,第24页。
③ [宋]张载:《张载集》,中华书局1978年版,第270页。
④ [宋]张载:《张载集》,中华书局1978年版,第273页。
⑤ [宋]张载:《张载集》,中华书局1978年版,第63页。
⑥ [宋]张载:《张载集》,中华书局1978年版,第285页。

在张载的儒家世界中依旧会看到其言曰的"平物我""庸圣同""合内外"的修炼工夫,以此照见己身,不失偏颇,达到北宋道学家们所追求的"身与物均见,则自不私"的圣贤境界。

(3)合而聚一(或合一、本一)义,即某两者对象下属于某一对象,或其本于某一对象。

"气有阴阳,推行有渐为化,合一不测为神。"①

"义命合一存乎理,仁智合一存乎圣,动静合一存乎神,阴阳合一存乎道,性与天道合一存乎诚。"②

"以万物本一,故一能合异;以其能合异,故谓之感;若非有异则无合。天性,乾坤、阴阳也,二端故有感,本一故能合。"③

"天人合一,致学而可以成圣,得天而未始遗人。"④

从以上材料可知,此处"合"义明显的特征便是出现"合一"之辞。这与以上第二种"合而无差别义"是有着内在的差别的,以天人关系为例,程颢讲究"天人一",而张载言说"天人合一",前者是以境界论谈起,"合"即是先验的浑沦与圆融,具有先天的命定、设定意味;而后者则是以工夫论起势,通过诚、静、大心的工夫修养来达到"合"。换而言之,这种"本一、合异"的"合",须存乎一,便是二端有感于本一,如义命、仁智、动静、阴阳、性与天道等二端相感于一理、一圣、一神、一道、一诚等。具体地讲,张载所言的太虚之气是本一,那么阴阳之气便是二端了,阴阳有感造化生成,万物起始,阴阳和合便是道体的大本。

二、通极天人,包罗气象——"由合论"通彻三层说

张载"两由""两合"的语汇通极于天,下达于人,融彻天人之境。这既需要从近代形上学的角度立论张载的宇宙本体论,又要立足于传统理学心性体系以展现北宋新儒家修炼工夫的哲学系统。

---

① [宋]张载:《张载集》,中华书局1978年版,第16页。
② [宋]张载:《张载集》,中华书局1978年版,第20页。
③ [宋]张载:《张载集》,中华书局1978年版,第63页。
④ [宋]张载:《张载集》,中华书局1978年版,第65页。

从本体论的角度来谈,张载"两由""两合"的气学本根在于太虚。为何？以逆向思维来回溯张载"两由""两合"的哲学诠释可知:心可上溯于性,性可上溯于虚、气;道可上溯于气化;天可溯本于太虚。再参看张载《正蒙》"太虚无形,气之本体"之语,最终可推究张载哲学体系的本根在于"太虚"二字。且再谈张载对于天、道、太虚、气之间的关系,如下图①:

体:

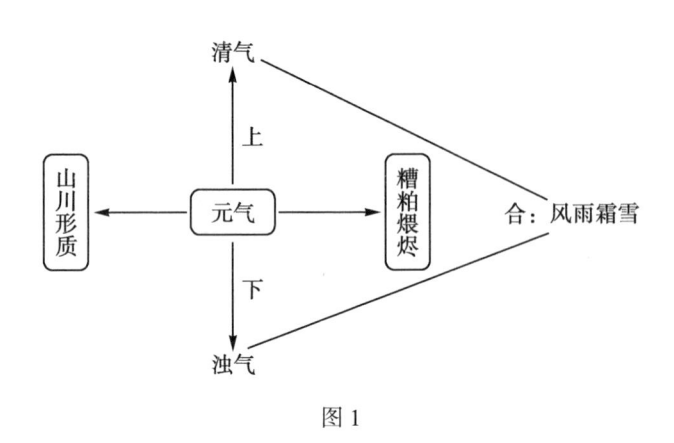

```
                    清气
                     ↑
                     上
┌──────┐         ┌──────┐         ┌──────┐
│山川形质│ ←─── │ 元气 │ ───→ │糟粕煨烬│       合:风雨霜雪
└──────┘         └──────┘         └──────┘
                     下
                     ↓
                    浊气
```

图 1

用:

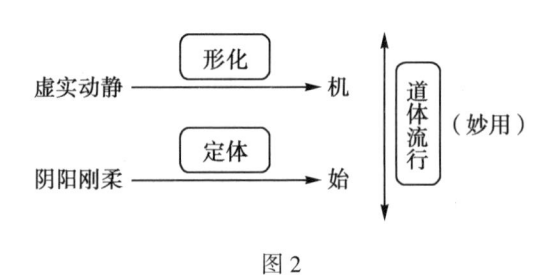

```
              ┌───┐
虚实动静 ───→│形化│───→ 机        ↑
              └───┘                │
                                 道体流行    (妙用)
              ┌───┐                │
阴阳刚柔 ───→│定体│───→ 始        ↓
              └───┘
```

图 2

朱熹结合周敦颐《太极图说》的理念解构张载的宇宙本体论,以万物的本质为气,阴浊之气沉降为地,阳清之气浮升为天,并且以阴阳二气的运动为"生生造化",正如其在《语类》所言"造化之迹,不可得而见。于其气之往来屈伸者是以见之。微鬼神则造化无迹矣"[2]。而叶采从"体用论"的向度诠释本体,他以张载的"气"体出发,推衍"山川形质""糟粕煨烬",并且以"妙用由是而形"为"机",以"定体由是而

---

① 图1取自朱熹对于横渠之说的理解,图2取自叶采对于横渠之说的理解。
② 转引自陈荣捷:《近思录详注集评》,华东师范大学出版社2007年版,第35页。

立"为"始"①,以二程"体用一源,显微无间"的诠释方法进行解读。所以说,对于张载的"由合论",叶采的本体诠释相较于朱熹而言更为具体、详尽、圆融。

从心性论的角度来看,张载"两合"的语汇仅存在于认识论层次,而未涉猎方法论(工夫论)方面。横渠此"两合"之说,主要就儒家的心性思想的产生和衍化而着墨重构的。"两合"之语,前一句仍然处于形而上学的哲学视域,而后一句便转换到了形下的个体生命身上。所以说,张载言性分殊天人而又统筹于天人之际,试图以"天地之性""气质之性"贯通形上与形下,达到思维世界上的圆融、无碍。张载以超越的"性"字连接形上、形下两个维度,既给出了先验的证成,又给出了后天的修炼方法与工夫论,并且以"合性与知觉,有心之名"沟通"心"字哲学的意蕴世界,发展出"心统性情"的哲学体系。参见张伯行在《续近思录》集解所言:"性则人所禀受于天之理,而具于心者,其发于智识,触于念虑,皆是情。"可知横渠之知觉受于见闻之识、心念之识、德性之识,这种已发的状态便可谓情。那么,横渠"两合"之"合性与知觉,有心之名"与"心统性情"说相通。

从天人合一的角度来说,便是对张载"两由""两合"思想的深度挖掘了。参照前文对于"天人合一"的论述,不难看出张载将"两由"归属于超越的形上世界,而将"两合"转到个体生命的儒学世界之中(详见前文)。然而,横渠天人合一的连接点在何处呢?这个问题是鲜有涉猎者的。参考蒲创国的《天人合一说》一书,我们可以发现:中国传统的天人观念总是离不开"道""性"之论。其实,横渠"两由""两合"之说亦复如是。张载言道,源自气化之说,却又下通于人,并且"运于无形"。而其言性,亦可谓上通于天,下诸于地,广泛乎五湖四海,通达乎万物人形。所以说,天人合一论是契合张载"两由""两合"思想的,正所谓"圣学所以天人合一,而非异端之所可溷也"②。

此外,张载"两由""两合"的语汇是具有其特殊意义的,其独特性便在于"由、合"的方法论思维。所谓由者,为因由、缘由之论;而所谓和者,为和合之语。我们知道,张载言虚、气、天、道、性、心等皆可作为一哲学概念而独立存在,然而这并非

---

① 转引自陈荣捷:《近思录详注集评》,华东师范大学出版社2007年版,第35页。
② [清]王夫之:《张子正蒙注》,《船山全书》(第13册),岳麓书社1996年版,第33页。

是绝对地相互独立,其间的关联性便在于"由""合"之方法。在张载"两由""两合"的文本世界中,便可以发现这种具有导向性的关系,如图3所示。

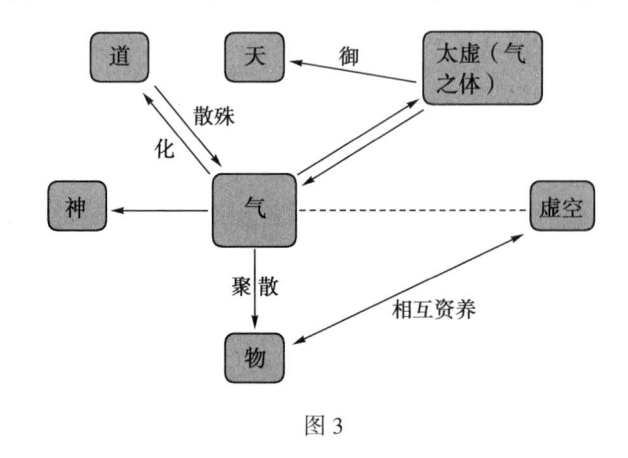

图 3

三、穷以达义,格以致理——天道性命相贯通

张载"两由""两合"的思想是建立在上古时期中国传统天道观、心性论的基础上的,这是毫无疑问的①。所以说,这就需要我们立足于"由合"之论,穷达于人文,格尽于义理,将天、道、性、心四者的分解义与由、合两者的圆融义进行有机的统一,以渐尽于至善至全的解读,从而洞见张载对于"天道性命相贯通"的哲学阐释。

(一)"太虚无形,气之本体"的天观思想

关于"由太虚,有天之名"中"天"的概念分析,如下:

参考冯友兰对中国古代"天"的哲学概念提出的五种天观,即物质之天、主宰之天、运命之天、自然之天、义理之天②,我们可以将张载的"天观"暂时划定三个层次:

(1)从"无形无象"的角度,此天可谓是张子所言之太虚与气。这种理解便是带有究竟本体源流的性质了。在张载看来,世间万事万物都由太虚之气构成,那么宇

---

① 从张载的天道思想层面来说,"太虚"一词最早出现于《庄子·知北游》:"以无内待问穷,若是者,外不观乎宇宙,内不知乎大初。 是以不过乎昆仑,不游乎太虚。"虽说庄子这里的"太虚"是作为宇宙空间的概念使用,其含义不同于张子的"太虚"概念,但是仍然可见先秦的思想对于张子是有着一定的影响。 再者,从心性层面来谈,横渠在《大心篇》有曰:"圣人尽性,不以见闻梏其心,其视天下无一物非我,孟子谓尽心则知性知天以此。"此处亦可见先秦思想对于张子的影响可谓深矣。

② 冯友兰:《中国哲学史》,重庆出版社2009年版,第35页。

宙万物众品形者亦复如是。换言之,天的本体便是太虚之气,即张载所言的"天之至处"。

(2)从"形"的角度,此天可谓是有形天地之天。这里大约可以分为两类,即与乾坤、阴阳相应的天地和宇宙星辰中的天地。如"不悟一阴一阳范围天地、通乎昼夜、三极大中之矩,遂使儒、佛、老、庄混然一涂""其阴阳两端循环不已者,立天地之大义""无无阴阳者,以是知天地变化""乾称父,坤称母;予兹藐焉,乃混然中处。故天地之塞,吾其体"等语,可见张载从易学的角度对此进行有形物质之天的解读。除此之外,在《参两篇》中,"地纯阴凝聚于中,天浮阳运旋于外,此天地之常体也。恒星不动,纯系乎天,与浮阳运旋而不穷者也;日月五星逆天而行,并包乎地者也",张载从某种天文学的角度亦对天进行一番解释,认为天在外、地在中。在现代科学认知中,的确也是如此,即天包含着地。

(3)从"象"的角度,此天可谓是天道。从天道的方向展开,这是极其宏大的。但不置可否的是,此天与道是不可分离而谈论的,其具有一体性,可谓是"可离,非道也"。张载不仅在《天道篇》着重介绍此天道思想,在其他论述亦有痕迹可寻,如"此道不明,正由懵者略知体虚空为性,不知本天道为用""故圣人语性与天道之极,尽于参伍之神变易而已""天道春秋分而气易,犹人一寤寐而魂交""万物形色,神之糟粕,性与天道云者,易而已矣""性与天道合一存乎诚"等。所以,此有"象"之天,势必是无形之天道。假使有剥离天与道者,将二者绝对化的二元分离,便是谬误至极,亦是不解横渠之真意矣。

其实,张载的天观思想,与传统上的天观有着极大的契合之处。正如傅佩荣在《儒道天论发微》中所说的那样,中国哲学,尤其是先秦哲学是向着超越界开放的人文主义,即总是伴同着一种终极关怀,天则是这个超越界(the transcendent)的代表[①]。而在张载的天观思想中,傅氏所说的"超越界"便是殊于有形之天地的太虚之气和天道,从而形成天观、人文的一贯性圆融与合一。

(二)"气本与神化"的道体论

从《正蒙》中可见张载构建了一套自己独特的道学体系思想。

---

① 傅佩荣:《儒道天论发微》,中华书局2010年版,序言。

(1)"太和所谓道"

诚如所知,"太和"是横渠思想的核心概念之一。而"太和之谓道"不仅仅属于气之本体的存在,它还能够作为某种原理、功用而言。然而就目前研究现状来说,是存在着不同的观点的①。台湾学者罗光曾发问:"太和与道有什么关系呢?太和是不是道?"②对于张载思想中存在的这个问题,牟宗三亦作此解,指出"太和"是"一极至之创生原理,并不是自然生命之缊之和"③。除此之外,劳思光的解释亦如是:"'太和',是指万有之生成变化之总体而言。但'和'字本非名词(或实字),则'太和'本身不能相当于'本体',只能作为'本体'之描述语。"④所以,"太和之谓道"是可以作为"太虚即气"(体)的功用而言的。

(2)"运于无形之谓道"

此处"运于无形之谓道"与"由气化,有道之名"之语可谓契合。在张载看来,气化的活动体现,即为气之聚散、分殊、沉浮等,为无形者也。如钱穆所说:"此种化则名之为道。此种道,像有一种力,在向某一方向推进。"⑤再者,张岱年说:"张子所谓道,则指存在历程或变化历程。"⑥故,从化的角度来说,张载所言说的此道颇显活动性、变易性、运动性。

(3)"昼夜之道""天地之道"

此处引自《正蒙·参两篇》,如下:

"昼夜者,天之一息乎!寒暑者,天之昼夜乎!天道春秋分而气易,犹人一寤寐而魂交。魂交成梦,百感纷纭,对寤而言,一身之昼夜也;气交为

---

① 还有一种观点,认为太和属于气的范畴。如张岱年先生说:"太和即阴阳会冲之一气,即气之全。"见张岱年:《中国哲学大纲》,中国社会科学出版社1982年版,第43页。林继平先生也认为:"太和就是阴阳二气合成一团的冲和之气也。"见林继平:《宋学探微》(上册),兰台出版社2002年版,第405页。而钱穆先生亦称:"气分阴为阳,阴阳之气会合冲和,便是他之所谓的太和。"又,"'太和'乃一气充和未分之际"。见钱穆:《宋明理学概述》,台湾学生书局1977年版,第56、181页。

② 罗光:《中国哲学思想史》(宋代篇),台湾学生书局1980年版,第149页。

③ 牟宗三:《心体与性体》(卷上),上海古籍出版社1999年版,第377页。

④ 劳思光:《中国哲学史》(卷3上),三民书局1981年版,第174页。

⑤ 钱穆:《宋明理学概述》,台湾学生书局1977年版,第56页。

⑥ 张岱年:《中国哲学大纲》,中国社会科学出版社1982年版,第42页。

春,万物糅错,对秋而言,天之昼夜也。"①

"天道不穷,寒暑也;众动不穷,屈伸也;鬼神之实,不越二端而已矣。"②

"火日外光,能直而施;金水内光,能辟而受。受者随材各得,施者所应无穷,神与形、天与地之道与!"③

从以上便可以看出:在横渠看来,天道变化于自然界的落实具体表现为寒暑之更替、昼夜之交变,而寒暑犹如屈伸一样,呈现出易学中的阴阳、乾坤的两端性。

(4)"所谓性即天道也"

"无所不感者虚也,感即合也,咸也。以万物本一,故一能合异;以其能合异,故谓之感;若非有异则无合。天性,乾坤、阴阳也,二端故有感,本一故能合。天地生万物,所受虽不同,皆无须臾之不感,所谓性即天道也。"④

"天所性者通极于道,气之昏明不足以蔽之;天所命者通极于性,遇之吉凶不足以戕之;不免乎蔽之戕之者,未之学也。性通乎气之外,命行乎气之内,气无内外,假有形而言尔。故思知人不可不知天,尽其性然后能至于命。"⑤

此处之"天道"可视为性体的存在。无论是天地之性,还是万物之性,都是可以上升到道的层次上的。这种"命—性—道"的传递性的逻辑结构,便清晰地展现出道的性体之存在和活动。

(5)"仁义人道"

此仁义说之人道思想,在张载那里集中体现的便是君子之道的述说。这种下辖于天的人道,极具伦理性、道德性。这种属于人间世的儒家德治思想,有着"责己""责人""爱人"的多重工夫修养。这与《大学》中"修身、齐家、治国、平天下"的内在理念是相同的。

---

① [宋]张载:《张载集》,中华书局1978年版,第9—10页。
② [宋]张载:《张载集》,中华书局1978年版,第9页。
③ [宋]张载:《张载集》,中华书局1978年版,第12页。
④ [宋]张载:《张载集》,中华书局1978年版,第63页。
⑤ [宋]张载:《张载集》,中华书局1978年版,第21页。

"君子之道达诸天,故圣人有所不能;夫妇之智淆诸物,故大人有所不与。"①

"'君子所贵乎道者三',犹'王天下有三重焉':言也,动也,行也。"②

"以责人之心责己则尽道,所谓'君子之道四,丘未能一焉'者也;以爱己之心爱人则尽仁,所谓'施诸己而不愿,亦勿施于人者也';以众人望人则易从,所谓'以人治人改而止者也';此君子所以责己责人爱人之三术也。"③

(三)"天地之性"与"气质之性"的根本分歧

关于张载的"性"论思想,学术界目前有着较为一致的观点,即对张载提出"天地之性"与"气质之性"给予肯定,并认为这一思想在中国古代人性学说演变史上具有划时代的意义。然而张载的心性思想是颇为复杂的,其在《正蒙·乾称篇》中,针对佛老论"性"之偏弊进而提出了自己对于"性"的一些理解。在横渠看来,佛家之"欲直语太虚,不以昼夜、阴阳累其心"、老氏之"谓虚能生气,则虚无穷,气有限,体用殊绝",其谬误之处在于"略知体虚空为性,不知本天道为用"。简而言之,张载认为,佛、老二氏因为"人见之小因缘天地"而将虚空作为性体的存在,并且将虚与气两者割裂开来,未曾意识到虚与气是一体的,即合虚与气可谓之性的明尽之理。

张载在性善性恶方面虽相近于孟子之性善理论,但其却有一己之独见,即"孟子之言性情皆一也……情未必为恶"④。与此同时,他还汲取了汉代王充的"气"说来实现性学思想的气性突破。简单来说便是,其改造了王充等人以人禀"气"之多少、清浊、厚薄,决定"性有贤愚"之言论,试图从人禀气之"偏与不偏",找出人"才与不才"及理欲、善恶的内在关系。

张载认为,人性在本原的意义上存在着天地之性与气质之性的差别。"人之刚柔、缓急、有才与不才,气之偏也。天本参和不偏,养其气,反之本而不偏,则尽性而天矣。"(《正蒙·诚明篇》)横渠的这一说法与先秦两汉儒家有着一些不同。关于

---

① [宋]张载:《张载集》,中华书局1978年版,第35页。
② [宋]张载:《张载集》,中华书局1978年版,第57页。
③ [宋]张载:《张载集》,中华书局1978年版,第32页。
④ [宋]张载:《张载集》,中华书局1978年版,第323页。

善的来源，横渠不似先秦两汉儒家那样，把善看作是人的内在本质，而是把善归结于天道或者天理，即所谓天地之性无不善。这种天地之性，用横渠的话说，是气化以前的形而上之性，而在气化以后，便形成了气质之性，而气质之性体现为每个人的品质，这种品质却是千差万别的，即所谓"气之偏"，于是，人与人之间也就有了贤与不肖、智与愚的差别。"形而后有气质之性，善反之则天地之性存焉。故气质之性，君子有弗性者焉。"（《正蒙·诚明篇》）也就是说，理无偏，气有偏，故天地之性纯善无恶，而气质之性则有清浊、偏正、刚柔、缓急等不同，所以尽性则须变化气质以返诸天道，也就是"善反"，善反者，便具有了善的品质，而不善反者，便流于"诸偏"①。

张载的"气质之性"可以分为多个层次。第一，关于"气质之性"的出现："形而后有气质之性，善反之则天地之性存焉"，即万物在成形之后方有气质之性的出现。第二，关于"气质之性"有殊之别的原因："由通蔽开塞，所以有人物之别，由蔽有厚薄，故有智愚之别"②，即因为禀受不同的阴阳二气，故有人物开塞、智愚之别。第三，关于"气质之性"的善恶之决定性："性未成则善恶混，故而继善者斯为善矣。恶尽去则善因以成，故舍曰善而曰'成之者性也'"③，即性未成形的时候则为善恶相混，若继续为善则性为善。第四，关于"气质之性"的可变性、变易性："人之气质美恶与贵贱寿夭之理，皆是所受定分。如气质恶者，学即能移"④，即气质恶可以移变。

张载把天地之性与气质之性区别开来，可谓是极具开创性，南宋朱熹称赞说，"横渠此说极有功于圣门，有补于后学"（《朱子语类·卷四·性理一》）。从某种意义上，朱熹的禀气说也是受横渠人性论的启发影响。

张载主张将"性"与"天道"合于一，也就是他所说的"性与天道不见乎小大之别也""性与天道合一存乎诚""天地生万物，所受虽不同，皆无须臾之不感，所谓性即天道也"⑤等。

---

① 该段论述大部分引自刘学斌著《中国政治思想通史》（宋元卷），中国人民大学出版社2014年版，第234页。
② ［宋］张载：《张载集》，中华书局1978年版，第373页。
③ ［宋］张载：《张载集》，中华书局1978年版，第187页。
④ ［宋］张载：《张载集》，中华书局1978年版，第265页。
⑤ ［宋］张载：《张载集》，中华书局1978年版，第20、21、62页。

(四)"心统性情"说的心体义

张载的"心"之思想,究其根本大概可分为三者学说,即"心统性情""心有征知(取自荀子之说)""大心、尽心、立心"。

张载论心的重要命题在于"心统性情"之论,然而张子并未详细论述并加以论证,但是却受到了理学之集大成者朱子的重视①。且来看张载此说,如《性理拾遗》曰:"心统性情者也。有形则有体,有性则有情。发于性则见于情,发于情则见于色,以类而应也。"②此处之说辞,也正好应征了"合性与知觉"的定性,即心觉悟于性,并且产生了情。所以从某种意义上来说,性与情统一于心,心因其性之交感而产生了情,而情再发迹于颜色。

其实,从某种意义上来说,张子之心可以说具有现代脑之器官的功用和道德情操的德行之说。张载对于"知乃心性之关辖"的理解:"知之为用甚大,若知,则以下都来了。只为知包着心性识,知者一如心性之关辖然也……知及仁守,只是心到处便谓之知,守者守其所知。知有所极而人知则有限,故所谓知及只言心到处。"③对于此处,牟宗三在《心体与性体》中的解读甚是贴切,如下:

> 张载言心,有心理学的心,更有超越的道德本心,必见到它的主动性、纯一性与虚明性,方算是见到心。心之知象由物交之闻见而显,但滞于闻见与不滞于闻见,却是圣凡之关键。在这关键上,即有尽心知性之工夫在。这不是知识的问题,乃是道德心灵是否能跃起之问题。④

最后,张载的心之思想的研究不仅仅在于性情学说上,还有着工夫论上的修养。其在《正蒙·诚明篇》所言的"心能尽性",按照牟宗三的解释,"'心能尽性'是道德实践的言之,是由道德实践以证实而贞定那客观而宇宙论地说的心性是一之模型,具体而言,即由道德心之主观的、存在的、真切的呈现或觉用来充分实现或形

---

① 注:"'心统性情'一语是由横渠首先提出,但未作详细的说明,朱熹在'己丑之悟'后非常看重这一概念,并具体应用于他对心、性、情关系的论述。"见复旦大学哲学系中国哲学教研室编著《中国古代哲学史》(下册),上海古籍出版社2011年版,第564页。

② [宋]张载:《张载集·拾遗·性理拾遗》,中华书局1978年版,第374页。

③ [宋]张载:《张载集》,中华书局1978年版,第316页。

④ 牟宗三:《心体与性体》,上海古籍出版社1996年版,第470页。

着那客观的说的性"①。这里的道德实践之说,是切合张载的工夫修养论的。具体而言,便是需要我们"大心""尽心""合天心",唯有这样才能"体天下之物",不以"耳目见闻累其心"。张载除了讲究个体修心的道德实践活动,还提倡"为天地立心"。他曾说:"道则所行者,无非天地之事矣。通神明之德,则所存者无非天地之心矣。此二者皆乐天践形之事也。"②故,为天地立心的思想,在张载看来,便是"通神明之德"③,亦可达到孟子所谈到的"乐天""践行"之修养行为。其实,张子的该思想与传统的"天人合一"④的思想是密切相关的,即人与天地万物一体,天地之中生命有勃发,有流转,有灵动,有动静,亦有精神世界的永恒不朽和流变化动。正如张立文说:"人心若不赋予天心,天地如何立心。天地无人,就不能显现其价值和效用。有人心,天地才是活泼的、有生命的,否则就是死物、死理。"⑤儒者最是需要从人之境界通过修养工夫等后天之学,以达到贤人之境界,甚至是圣人境界,需要在"易"之生命的流转、万物的变迁中,真正地达到"与天地参"。在此过程中,自然是离不开"为天地立心"的工夫。对此,和靖尹氏有云:"人本与天地一般大,只为人自小了。若能自处以天地之心为心,便是与天地同体。"⑥

其实,通过张载"两由""两合"思想的诠释,我们可以发现,此"两由""两合"之论述可谓是贯通整个张载思想的主体。换而言之,研究张载的某一思想,势必是无法割裂张载的整体思想的,必须从宏观的、统一的角度出发。论及张载"两由""两合"的思想,其核心就在于"天、道、性、心"此四概念以及"由合"之论的阐述,并且涉猎张载的虚气关系论、心性论、天人关系论,这对于后世理学有着重要的影响。

---

① 牟宗三:《心体与性体》,上海古籍出版社1996年版,第599页。
② 《张子全书》卷一:"道则所行者,无非天地之事矣。通神明之德,则所存者无非天地之心矣。此二者皆乐天践形之事也。"
③ 其实,"神明之德"亦属于天地之大德。张子在《横渠易说》卷一中对此有所见解,如下:"大抵言天地之心者。天地之大德曰生,则以生物为本者乃天地之心也。地雷见天地之心者,天地之心惟是生物。天地之大德曰生也,雷复于地中却是生物。"
④ 张载对于天人观是"一滚论之",正如其在《正蒙·诚明篇》所云:"天人异用,不足以言诚;天人异知,不足以尽明。所谓诚明者,性与天道不见乎小大之别也。"
⑤ 张立文:《天人不许离而为二——张载四句教的价值理想世界》,《光明日报》2011年8月15日第15版。
⑥ 《张子全书》(卷九)中载:"和靖尹氏曰:人本与天地一般大,只为人自小了。若能自处以天地之心为心,便是与天地同体。"

正如向世陵在《理气性心之间》所言:"理、气、性、心这理学的四大基础范畴在宋明时期显得特别突出,就是因为在他们身后,挺立着虽相互关联却各成体系的本体论架构。"①所以,从某种意义上说,张载"两由""两合"的思想已经将"天、道、性、心"此四者构建联系起来。从这里,我们可以看出张载的思想构架的一个特点:既相互联系(互动性)又相互独立。

总而言之,若较为全面地把握张载"两由""两合"的哲学语汇,须立足于传统注解之反思,进而疏解张载此语而展开再诠释,即分解横渠"天、道、性、心"四者,通达天、人、天人三层,贯穿以"由、合"二者使之圆融统一,方可"精义入神",以至于"规模阔大"②!

An Reinterpretation of "Bis-Via" and "Bis-Synthesis" of Heng Qu
——Origin of the Concepts of "Via" and "Synthesis"

XI Zhongya

(School of History, Zhengzhou University, Zhengzhou, Henan, 450001)

Abstract: With the words "Via" and "Synthesis" in the beginning of the book *Cheng Meng*, Zhang Zai connected such concepts as Void, Heaven, Ch'i, Tao, Nature and Mind in the Taoist ideology of Northern Song Dynasty and developed a philosophical system that Tao and Nature were interacted. In the textual interpretation of "Bis-Via" and "Bis-Synthesis", Zhang Zai described his philosophical ideas in Ch'i world, namely, the theory of *ti-yong*, the relationship between heaven and man, principles of Mind and Nature.

Key words: Zhang Zai; *Cheng Meng*; Bis-Via; Bis-Synthesis

---

① 向世陵:《理气性心之间——宋明理学的分系与四系》,人民出版社 2008 年版,第 411 页。
② 语自吕思勉《宋明理学纲要》:"其实以规模阔大,制行坚卓论,有宋诸家,皆不及张子也。"见蒋维乔、杨大膺、吕思勉:《宋明理学纲要》,吉林人民出版社 2013 年版,第 229 页。

德政研究

《论语》中孔子言德及其德治理想

袁永飞

(遵义医科大学　人文医学研究中心,贵州　遵义　563003)

摘　要:《论语》中孔子的"德"有四个意向,即"生、道、治、心",其"德治"有三条进路,即生活进路、制度进路与心灵进路。学界常关注其德的"治"与"心",以"心"统"治";把"生"作"性",内含"天命"中;把"道"作"言",推扩"文章"中;重视其德治的社会进程,遮蔽其人生进程。此以其进德之序,推引他的德治理想,沿"道"贯通其"礼"之生活进路、"法"之制度进路与"仁"之心灵进路,树立"圣"的生命典范,规制"王"与"民"的文化实践。

关键词:孔子;《论语》;德;德治;道

《论语》一书中记载了孔子及其弟子大量关于"德"的言论,通过对这些言论的考察,可以总结出孔子及其弟子有关"德"的基本观点,进而揭示"德"的内涵,最后可以大致考察其德治理想的可能路径与实现方式。

一、现代学术视野下孔子的德论与德治

目前,关于孔子德论与德治的思想研究的一些主要看法,可分为论著与论文两类。

(一)"德"的总体把握

我们从有关论著或论集来把握,大体包括两方面:一是概论其总体思想,选取多位学者集成性作品的综合看法、论题集的专文讨论和思想史的相关解释;二是专

作者简介：袁永飞（1976—　），男，侗族，贵州松桃人，遵义医科大学人文医学研究中心副教授,哲学博士,主要从事中国哲学研究。

论其政治思想,涉及其原理与策略措施的分析。

1. 概述孔子之德

胡适说,"正名主义"是"孔子学说的中心问题",以仁"统摄诸德,完成人格之名",提点其学说为"内容的道德论",偏重动机并"认定'天理'(道德律令)","注重道德的习惯品行"成习常(道德实践);周予同认为,从道德哲学看孔子的仁是"核心的核心""本体的'德'",其"政治思想也以'德'为核心""形成一种'德治论'的主张",相对于战国"法治论",礼乐是其"德治的工具",其"精神的德治归宿""实现须在社会物质生活相当发达以后";蔡尚思讲"孔子主张统治必须德刑并用",执政者"先注意的还是要用德来引导",其"思想体系的中心是礼","礼独高于其他诸德"为"仁的主要标准"①。一以正名主义为中心,推扬其内容的道德论;二从道德哲学,考察其德的存在本体、政治主张、礼乐工具、精神归宿与物质基础;三强调礼的核心地位与德的引领作用,突出德刑并用。三者各有偏重与取舍。童书业指出"在孔子政治思想中最突出的一种观点,就是'德化'和'礼治'的思想","'德'就是氏族习惯,'礼'就是氏族仪式",德化、礼治是"宗法封建统治方式的理想化",其包含"原始民主主义思想"②。德化与礼治,大体跟前述二、三种看法接近,其德、礼并重,在文化系统建构上道德教化启先而为基础、礼乐管治殿后而为主干,此为古代氏族社会的传统生活内涵与政治理想。韦政通认为孔子的"知识、道德、政治"是"走向同一个目标的三个不同阶段的学习",政治思想揭示一个原则即"为人君者当以德治国,为政与为德,根本分不开",参照"法家的法治主义",把孔子德治归于"人治的思想",德治思想是"把前人贵民爱民的理念发展成一个人道社会的理想"③。他把为人、为学、为政,看成学习目标的三个不同阶段,突显以德治国原则,为政与为德紧密结合,构建一个贵民爱民的人道社会。相对童氏专谈其传统宗法封建的政治理想,他突出人道社会的精神特质与现实生活的目标诉求。

---

① 蔡尚思主编:《十家论孔》,上海人民出版社2006年版,第103、113、117、225、238—239、240、242、278、310、351页。

② 童书业:《孔子思想研究》,载于中国科学院山东分院历史研究所编:《孔子讨论文集》(第一集),山东人民出版社1961年版,第164、166、169页。

③ 韦政通:《中国思想史》(上),上海书店出版社2003年版,第58、60页。

综上所述,孔子学说的中心问题是"正名",思想体系核心支撑是"礼",核心的核心是"仁",以"仁"统摄诸德完成人格理想与政治事业的实践;其德治理想是内涵上的动机与效果一体,它以物质财富为基础、礼乐规范为工具,有别于法治的人治理想,包含原始民主的人道归宿,要求为政与为德的完美结合、德刑并用,维护宗法封建统治,追求美好社会建设。

2.孔子之德的政治思想分析

此相对于概论,侧重其政治思想内涵深化与细化;不仅界定其内涵是什么,还追问其成因是什么;不仅考察其表现怎么样,还关注其问题怎么解决。

陈红太讲,"仁首先是人的一种内在道德秩序,也就是把宗法等级秩序道德化为人的内在自觉""从逻辑上说,德礼之治是比政刑之治更高层面的统治和整合社会的手段""通过德礼之治最终达到'天下归仁'是孔子的理想"①。洪涛分析"直"与"道"合为"德","为政以德"有二:"(一)为政者行'人情'之政,亦即行'德政'(或曰仁政):其下有两目,曰'亲仁',曰'爱众'。(二)为政者行诗教以养人情,是为'政教',亦即'礼乐教化':其下亦有两目,曰'导人情',曰'厚人情'"。"儒家以礼乐治国"将"德与政打通而不隔绝""无所谓'人治(德治)'与'法治'之对立","今日之'德'与'道'相脱离"使"德治难行"。② 前者以传统政治文化的认知逻辑,把仁、礼、德关系内涵重新梳理,落脚在人的自觉心,诉求"天下归仁"理想;后者以经文剖析其德,以"直"的人情与"道"的教化开出德政与政教,要德、政无隔与人、法合治,比照现代社会"道、德"分离,言"德治"难为。

孔子德治主张可归结为"礼治与正名""举贤才""实行平均主义政策""愚民政策"③。梁启超认为其"以目的言,则政治即道德,道德即政治。以手段言,则政治即教育,教育即政治";萧公权讲其"政治思想的出发点是'从周',具体实行的主张为'正名'","'治术'包括养、教、治。养、教的工具为德、礼,治的工具为政、刑";时和兴说其"德治中蕴含有人道管理观念",礼制包含"制度化权力机制",正名体现"合

---

① 陈红太:《中国政治精神之演进》,人民出版社2013年版,第27、35、38页。
② 洪涛:《〈论语〉之政治学——"为政以德"章释义》,载于洪涛等主编:《经学、政治与现代中国》,上海人民出版社2007年版,第37、64页。
③ 宝成关等编:《中国政治思想史》,高等教育出版社1999年版,第26、28、29页。

法性权威原理",中庸孕育"有限政府行动原则";刘立林指出其政治思想的一个根本特点是"力求政治权力的正效应",把"政治权力的负效应控制在最低限度"①。前者是常见认知的简单罗列,归纳出基本主张,并无系统的有效论证;后者是代表人物的观点大聚会,包含了政治理念、具体主张、管理原则与根本特点,无作者的独到创见。二者是对孔子的政治管理策略措施的简要规整。

由此,孔子的"仁心"有"德"、守"礼","直道"行"德政"、教化大众,因人情张目,不区隔"德"与"政",使"(仁)道"与"(礼)德"疏离、"(王或圣)治"无功,应在手段与目的上有多种选择,肯定其正效应以减少负面影响。

(二)孔子之德的专题研讨

以上论著无专文、专章、专节探讨《论语》中孔子的德论与德治理想,无相关议题考察其是非得失,无列举原典素材的全部内蕴作系统论证,仅按其前识的理论预设来选择性地统摄部分观点,援用现代学术价值标准来评析传统政治文化意蕴的好坏。下面用专题说明其德。

1.德论。孙熙国认为"《论语》中所出现的39个'德'","最高哲学本体的意蕴"极弱,"其伦理意蕴开始凸显","表现在孔子以'德'为中介对人的本质和存在所作出的形上追索和思考","融'德'于'仁'",实现对仁的"熔铸和改造","注重把得之于'道'之后转化为人的内在之性的'德'对象化于'行'的过程",由此德论"发现中国哲学认识和把握世界的基本理路",以"德得于道,人德统一""融德于仁,人仁统一""'行'重于'德',德行统一"三议题推证②。陈晨捷说"孔子的'德'具有神秘意义与务实的伦理范畴双重成分",从"天——德之来源""修德——人事的展开""君子——道德教化的重要角色"三方面论证,"'德'的概念生成是一个历史的、动态的发展过程"并内化人心③。结论基本一致,即融德入仁或心,与前述要点吻合,主题更鲜明,材料更丰富,论证更完整。二者的区别在于:德的来源,一个是道,一个是天(前述为周礼或天命);德对人的特性,一个内在,一个外在;其认知范

---

① 葛荃主编:《认识与沉思的积淀——中国政治思想史研究历程》,河南人民出版社2007年版,第71、72、79、80页。
② 孙熙国:《孔子德论与中国哲学认识和把握世界的基本理路》,《文史哲》2007年第2期。
③ 陈晨捷:《孔子德论再探讨——兼与孙熙国先生商榷》,《东岳论丛》2009年第2期。

围,一个保守(限于孔子思想),一个开放;其理论诉求,一个要发现中国哲学的基本理路,一个通过君子垂范社会以开展道德教化。

2.德治。"孔子是一个德治主义者",其"'为政以德'主要是指治国的政治措施",即"爱民、富民、教民、举贤,统治者要以身作则、无为而治",这是对周公"敬德保民"与子产"为政必以德"的继承、升华和超越,其"核心是利民",生命力所在是"时代性与超时代性的统一"[①]。"孔子的'德治'思想既是指与'为国以礼'相辅相成的治国方略""道之以德""以德治国"又是对执政者的道德要求[②]。"为政以德的基本思想特征"是"德治的内在规定及逻辑展开","德治主义之前提设定:君主的道德修养与自觉""民本原则:以富民教民为政治归趣""德主刑辅:一种宽猛相济的治民方法"[③];"孔子主要是提出了'为政以德'的德治学说""'为政以德'的最终目的在于'胜残去杀',以达到以德去刑的无讼境地"[④]。杨柳桥讲"'德'的本义",含"'内外'或'人己'",即"内存于己的'性德'或'德操'和外施于人的'恩德'或'德泽'两个方面",其政治伦理学说不是"单纯肯定'德治'或'礼治'、完全否定'法治'或'刑治'的,而是把'德治'或'礼治'作为主要手段,把'法治'或'刑治'作为辅助手段的",主导思想是"爱人"[⑤]。其要点与上述几乎完全相同,仅在德义界定、内容条目、思想特征、生命活力与最终目的等意蕴上略有别。

3.其他解释。有分析《论语·宪问》(本文以下引《论语》,只注篇名)"以直报怨,以德报德"的意蕴,认为"'以直报怨'实是指示学人参悟'德怨不贰'之智慧境界""表率于人伦,垂范于世人,如此方合圣人'以德报德,则民有所劝'之旨"[⑥]。有讲述"孔子关于人之语言与其道德水准的考量可分为三个层次:'巧言、佞语以及恶言者不必有德''言语文质合宜、忠信之言以及雅言者有德''寡言有德与敏于事慎于言'",目的是"解除人的迷惑,指导人的生活,提升人之道德"[⑦]。前从孔子"德"

[①] 游唤民:《孔子德治思想新探》,《湖南师范大学社会科学学报》1992年第4期。
[②] 徐柏青:《论孔子的德治思想》,《武汉大学学报(人文科学版)》2003年第5期。
[③] 王杰:《为政以德:孔子的德治主义治国模式》("摘要"部分),《中共中央党校学报》2004年第2期。
[④] 平旭:《德治:历史与现实》,《长白学刊》2002年第2期。
[⑤] 杨柳桥:《"为政以德"——孔子的政治伦理学说》,《伦理学与精神文明》1983年第4期。
[⑥] 李尚儒:《孔子德怨思想管见》,《求实》2004年第6期。
[⑦] 陈力祥等:《听其言能否观其德——孔子德与言关系新探》,《求索》2013年第12期。

的情感反面"怨"比对其智慧境界与人伦模范,后由"德"的言语表现来考量其道德水准与生活诉求。这为《论语》中孔子"德"的理解,提供了不同的情感视角与语言基础。

对上述总结可得,孔子的"德"内核是仁,外推是礼,源自道与天或天命,承接前贤优良的德政(如周公)传统,塑造后世美善的德治理想。孔子如何通过其德建构德治理想,大多流于先见式的理论框架预设和碎片式的文化观念堆积,用现代学术价值标准评点其是非得失,不能全貌地俯瞰其原初思想内涵、完整推导其真切的理论诉求。以下先讲《论语》中孔子"德"的所有"显性"说法,依朱熹集注的意义诉求作解析,而后对照部分学人认知阐释其德论与德治理想的合适进路。

二、经典文本里孔子德论及其含义

下述引文[①],按孔子独自评说、对话交流及弟子讲解,分成两大类。

(一)孔子独自评说的"德"

子曰:"为政以德,譬如北辰,居其所而众星共之。"(《为政》)

子曰:"道之以政,齐之以刑,民免而无耻。道之以德,齐之以礼,有耻且格。"(《为政》)

子曰:"德不孤,必有邻。"(《里仁》)

子曰:"君子怀德,小人怀土;君子怀刑,小人怀惠。"(《里仁》)

子曰:"中庸之为德也,其至矣乎!民鲜久矣。"(《雍也》)

子曰:"德之不修,学之不讲,闻义不能徙,不善不能改,是吾忧也。"(《述而》)

子曰:"志于道,据于德,依于仁,游于艺。"(《述而》)

子曰:"天生德于予,桓魋其如予何?"(《述而》)

子曰:"泰伯,其可谓至德也已矣!三以天下让,民无得而称焉。"(《泰伯》)

---

① [宋]朱熹:《论语·大学·中庸集注》,上海古籍出版社2013年版。《论语》十卷,共二十篇;朱熹等人解读话语,依相应章节,求证出处,不单独标识,仅大体归纳。 另,《大学》与《中庸》的引文也出自此。

孔子曰："周之德,其可谓至德也已矣。"(《泰伯》)

子曰："吾未见好德如好色者也。"(《子罕》,又见于《卫灵公》)

子曰："德行:颜渊、闵子骞、冉伯牛、仲弓。"(《先进》,另有"言语""政事"和"文学")

子曰："不恒其德,或承之羞。"(《子路》)

子曰："有德者必有言,有言者不必有德;仁者必有勇,勇者不必有仁。"(《宪问》)

子曰："骥不称其力,称其德也。"(《宪问》)

子曰："巧言乱德,小不忍则乱大谋。"(《卫灵公》)

子曰："乡愿,德之贼也。"子曰："道听而涂说,德之弃也。"(《阳货》)

以上共 20 个"德"字。朱熹集注说,"德"言"得"而"得于心","为政以德"是"无为而天下归之",政为"治之具",刑作"辅治之法",德、礼是"所以出治之本","德又礼之本";"德不孤立,必以类应",有德者"必有其类从之","怀德"是"存其固有之善";中庸至德为天下"正道""定理";"德必修而后成","志道"当"心存于正而不他","据德"当"道得于心而不失","依仁"当"德性常用而物欲不行","游艺"当"小物不遗而动息有养","天既赋我以如是之德""必不能违天害己";至德为"德之至极""无以复加",文王之德与泰伯"以至德称之","才"为"德之用";有德者"和顺积中,英华发外",德"谓调良"、崇尚"德才兼备";"似德非德""反乱乎德""虽闻善言""不为己有"是"自弃其德"。"德"作"得",有"心得"之义,在韩非《解老》首句就有"内德""外得"[①]说。道、天、德、仁、礼、政、刑等关系说明,上述有专门探究,略不同的是,德为道之得、天之赋、仁之性、礼之本、刑政之治本,"才"为其用。易被其忽视的说法是,有德者的个体修为与同类响应,至德是最高典范、人间楷模、天下正道和社会定理,道、德、仁、艺(义)的内在关联与外推理路,伪装道德的言行危害与糟糕后果。

据此解读为四方面:一是德与政,前四句:第一句讲"为政"的"德"作准则或指

---

① "德者,内也;得者,外也……得者,得身也。凡德者,以无为集,以无欲成,以不思安,以不用固。"见[清]王先慎撰,钟哲点校:《韩非子集解》,中华书局 1998 年版,一三八。此身所对,当为心;心所得,无为、无欲、不思、不用,是老庄道家意旨,与朱熹解孔孟儒家的旨趣相反。

导原则;第二句谈"德、礼"与"政、刑"的治理成效;第三句说"德"的社会效应;第四句强调君子对"德、刑"都看重。二是德与学,接下来四句,指明"德"的文化传统(至德)与社会现实(民众)的断裂,其道德修养提升通过学习改进,其认知程序是"志道""依仁""游艺",其实践层级是"德行""言语""政事""文学"。三是德与生,共五句:第一句从生命禀赋看,后四句从生活诉求来谈;第二、三句讲历史文化生活所塑造的无上功德;第四句讲现实社会生活面临的道德困境(好色);第五句讲人类生活应当长期守护的道德精神。四是德与言,后四句:先讲"德者"与"言者"的关系;其次例证说明"德"优胜于"力";再次指出花言巧语"乱德";最后认为"乡愿"偷换道德愿望或理想而沦为其乡间小道的流言蜚语。若按现代理性认知,当把"生"看作"德"的存在基础而寄托"天(命)、道(路)","言"是在"生"的基础上对"德"的文化塑造(如以德正名、为言),"学"是在"言"的明示下对"德"的实际修养,"政"是在"学"的指导下对"德"的功效推广,"德"之"生"与"言"的贯通是"道"、非"天"。所以,孔子德论的核心表达是"志于道,据于德,依于仁,游于艺"(其"艺"为"义"[①]),只有从"道"中才能找到"德"的存在依据和发展理路,也只有在"仁"中才能发觉"德"的生命归宿与文化诉求,在"艺"中展现"德"的生活事业与政治功能。

(二) 孔子与其弟子及他人的德论

1. 对弟子言"德"

　　子张问崇德、辨惑。子曰:"主忠信,徙义,崇德也。"(《颜渊》)

　　(樊迟)曰:"敢问崇德、修慝、辨惑。"子曰:"善哉问!先事后得,非崇德与?"(《颜渊》)

　　南宫适(说后羿、禹、稷等)出,子曰:"君子哉若人!尚德哉若人!"(《宪问》)

　　子曰:"由!知德者鲜矣。"(《卫灵公》)

　　孔子(指责冉求)曰:"盖均无贫,和无寡,安无倾。夫如是,故远人不服,则修文德以来之。既来之,则安之。"(《季氏》)

[①] 东汉徐干说"艺"是"义之象",明代王阳明解"艺者,义也,理之所宜者也",本人对此作过相应解说,可参见拙文《"志道、据德、依仁、游艺"的推阐》(《道德与文明》2016年第5期,第153—154页)。

此四篇7个"德"字。朱熹解,"为所当为而不计其功"才"德日积而不自知";"德"是"义理之得于己者"。孔子与其弟子讨论的德,主要在"言"基础上阐发义理,其"忠信"表达的是两种德,即"忠"为"得于心"的"道之德","信"是"得于己"的"义理之德",其弟子有若讲"本立而道生",由此道生而志德(即得道、明理)。因此,他要求弟子"崇德""尚德""知德""修文德",以德主导人的本心、信义、事功、情志和文治。

2.与王侯、隐者议"德"

季康子问政于孔子,曰:"如杀无道,以就有道,何如?"孔子对曰:"子为政,焉用杀?子欲善,而民善矣。君子之德风,小人之德草。草上之风,必偃。"(《颜渊》)

或曰:"以德报怨,何如?"子曰:"何以报德?以直报怨,以德报德。"(《宪问》)

齐景公(对比伯夷、叔齐)有马千驷,死之日,民无德而称焉。(《季氏》)

楚狂接舆歌而过孔子曰:"凤兮!凤兮!何德之衰?往者不可谏,来者犹可追。"(《微子》)

此四篇8个"德"字,朱熹讲"于其所德","必以德报之"。孔子与王侯如季康子谈论和评价齐景公的是"德政",不过是以物事如草与风、马的表现来比喻政事的现实作为,这是用"德言(或道)"指导"德行"。对隐者探讨的"德",主要在"生"的基础上,一个从生活的"德怨"相报来阐述自己的主张,前有专题研讨;另一个从生命的"来往"时限,说明"可"与"不可",这是用"生德"来推引"行德"。可以说,孔子希望自我标榜、功德无量的政治家"正己"来自然无为,寄望默默无闻、不求回报的隐者"正人"来积极作为。

3.弟子们的"德"说

曾子曰:"慎终追远,民德归厚矣。"(《学而》)

子张曰:"执德不弘,信道不笃,焉能为有?焉能为亡?"(《子张》)

子夏曰:"大德不逾闲,小德出入可也。"(《子张》)

此两篇4个"德"字。朱熹指出,"己之德厚","下民化之"也归于厚德;"有所得而守之太狭"则"德孤";"大德、小德""犹言大节、小节","人能先立乎其大"而"小节","或未尽合理"也"无害"。德有厚薄、宽狭、大小之分,但化民、修己、立人应求厚、宽、大。弟子们演说的德,第一个由"生德"推出"民德"的丰厚,第二个从"心德"推出"执德"的诚实或笃实,第三个从"至德"推出"大德""小德"的功用。也就是说,在孔子的道德学问熏陶下,其弟子从"生"(得身)、"言"(得心)、"政"(得人)三个意向,传播其德的含义。

由此知《论语》中孔子的"德"有四个意向,即生德、言德、学德、政德,或天生之德、义理之德、学问之德、刑政之德,是得于身、得于心、得于教、得于治,以此修身、正己、正人、治国。他实际以"道"通贯"全德"、归结"仁义",修正言行来树立生命典范(即至德之人)与生活榜样(即君子)。可以说,他讲的生命道德的天赋,通过心灵道德的自觉和学问道德的教导,用在政治道德的实践上。这是其德论向其德治理想推进的大体思路。

三、孔子德治理想的合适进路

孔子德治理想的大体思路是不是其合适进路,有待合理权衡。毕竟,现有道德理想设定与阐释不能替代其有效呈现与实际进程,需讨论其可能路径与实现方式。

或据朱熹集注,还可列举孔子德论的扩充性观点,如《学而》篇"君子,成德之名"、"孝弟""顺德"、"人欲肆而本心之德亡"、"温良恭俭让"是"夫子之盛德光辉接于人者",《为政》篇"进德之序"是十五"志于学"、"三十而立"、四十"不惑"、五十"知天命"、六十"耳顺"、七十"从心所欲不逾矩"与"成德之士,体无不具,故用无不周,非特为一才一艺而已",《述而》篇"仁者,心之德,非在外也""人之德性本无不备",《颜渊》篇"仁者,本心之全德""礼者,天理之节文",《季氏》篇"品节详明,而德性坚定,故能立"等。其"成德""顺德""盛德""进德""全德"和君子、圣人、王者、贤者、仁人,德与道、仁、礼、文、理的关系,德的内外、先后、成毁、体用、美善的说法,大意仍在上述德论研判中。关于孔子"德"的思想,除前述所言,近现代中外部分著名学者有不同看法。如黑格尔认为其是"一些善良的、老练的道德教训",不如西塞罗《政治义务论》这本"道德教训的书"内容丰富、好①；雅斯贝尔斯讲孔子哲学中礼乐陶铸"道德—政治的伦理规范"建构及其君子理想人格②；牟宗三谈到"儒家的道德理想主义""本怵惕恻隐之心作实践"，非"那种德目伦理学"③；崔大华说"儒学从殷周宗教观念和西周宗法观念的蜕变"，形成"道德和伦理观念"，"'仁'是个体心性道德修养"④；郭齐勇指出"理解儒家伦理学"，需了解"终极本根的'仁'或道德'心'性"，并用"圣人""贤人""君子"分层表述其道德理想人格和境界⑤；等等。他们要么认为是太寻常的道德教训，不值得深度的理论辨识（黑格尔），要么觉得是经典的伦理道德规范，有助人生修养（崔大华）与政治建设（雅斯贝尔斯），要么相信道德理想的终极本根追问，归结本心的体认（牟宗三）和圣贤的觉悟（郭齐勇）。其从世俗生活到文化社会再到圣贤理想，作道德的精神超越，其实践层面的推进主要靠生活习惯（常识）、制度典章（礼乐或礼法）与心灵自觉（良知）来兑现。这是从德论的原典细节、后学阐释与其德治理想的总体架构、理解差异来补证，二者合适进路需据前述基本内容来辨析。

据上述解释，可把其合适进路归结为三条：第一条是生活进路，起点在西周的历史传统如周公的德统，即广义的文化生活传统，中介是言行，重点在正行或正道，以行知言或道，终点为现实塑造，具体场所主要在家庭、学校和社会，目的是成人，如黑格尔、雅斯贝尔斯、崔大华等人解证的；第二条是制度进路，起点在春秋时期的现实规范，如管仲等人的政统，即狭义的社会制度体系，中介是名利，重点在正名或义，以名取利或义，终点为理想效果，具体对象是国家和天下，目的是成王，如胡适、蔡尚思、韦政通、孙熙国等人论证的；第三条是心灵进路，起点在人自身的理想诉求，如孔子"为仁由己"，即美善的生命愿望，中介是身心，重点在正心或人，以心修身或生，终点为精神典范，具体对象是个体，目的是成圣，如牟宗三、郭齐勇等人推

---

① ［德］黑格尔著，贺麟等译：《哲学史讲演录》（第一卷），上海人民出版社 2013 年版，第 118 页。
② ［德］卡尔·雅斯贝尔斯著，李雪涛等译：《大哲学家》修订版（上），社会科学文献出版社 2012 年版，第 132 页。
③ 牟宗三：《道德理想主义》，吉林出版集团有限责任公司 2010 年版，第 38 页。
④ 崔大华：《儒学的现代命运——儒家传统的现代阐释》，人民出版社 2012 年版，第 24 页。
⑤ 郭齐勇：《中华人文精神的重建：以中国哲学为中心的思考》，北京师范大学出版社 2011 年版，第 334 页。另参阅其著《中国儒学之精神》，复旦大学出版社 2009 年版，第 267 页。此两著有大体理路与细致解说。

阐的。由此成人、成王、成圣,才能内圣外王和亲民或新民。其后《中庸》的"天命之性""率性之道""修道之教"表现了这种生活进路,《大学》"三纲要"即"明德""至善""亲民"与其"八条目"即"格物、致知、诚意、正心、修身、齐家、治国、平天下"展现了这种心灵进路,荀子修正周文"礼乐"为"礼法",到董仲舒"仁义法"则体现这种制度进路[1]。后世要么强调"礼"的生活进路,如汉唐时代,虚化"仁"的心灵进路如佛的空和固化"法"的制度进路,如皇权的名教;要么强调"仁"的心灵进路,如宋明时期,抑制"礼"的生活进路,如人欲的窒息和僵化"法"的制度进路,如皇权的奴化;要么强调"法"的制度进路,如近现代,荒废"礼"的生活进路,如自由破坏和物化"仁"的心灵进路,如功利至上。完整统合三条进路给出系统论证的少,在限定文本下赋予其各自适用范围与内涵及关联。

由上述知,孔子先在生活进路上得道、正行,再在制度进路上得治、正名,最后在心灵进路上得意、正心,并非按孟子所谓"仁"为"人心"[2],直接推扩其"善"以正心、正名、正行。这种理想设定是由外而内的道德修炼完成后,再由内而外的实际扩充,决非闭门造车式地观照心灵宇宙以洞察前生今世,应在前生今世生活基础上重塑来生来世道德模范。这是孔子的德,由现实生活到文化法言再到学术教育最后到政治管制的跃进理路,是他晚年总结的进德之序的直接阐发,青年志于学以求生活之道,壮年立于礼以得法言不惑,中年知天命以成学术统系,老年不逾矩以守政治规范。也就是说,其德,先得生,再得道,进而得治,最后得心;其德治理想是从内心,外推到王政,再到人道,最后到众生。前贤着重说明其德治理想(或成德后)的社会进程,对其成德前的人生进程讲得不够明透,但对道德个体来说,人生进程比社会进程更适合大众修为。

总之,《论语》中孔子的"德"有四个意向,即"生、道、治、心",其德治有三条进

---

[1] 荀子说:"故学也者,礼法也"(《修身》);"是百王之所以同也,而礼法之枢要也""是百王之所同,而礼法之大分也"(《王霸》)。 见[清]王先谦撰,沈啸寰、王星贤点校:《荀子集解》,中华书局1988年版,三九、二六一至二六二。 董仲舒:"是故《春秋》为仁义法。 仁之法在爱人,不在爱我。 义之法在正我,不在正人。"见苏舆撰,钟哲点校:《春秋繁露义证》,中华书局1992年版,二五○。

[2] 孟子指出"杨墨之道不息,孔子之道不著,是邪说诬民,充塞仁义也","我亦欲正人心,息邪说,距诐行,放淫辞,以承三圣者(指禹、周公、孔子三人)"(《滕文公下》);"仁,人心也;义,人路也"(《告子上》)。 见[宋]朱熹集注:《孟子》,上海古籍出版社2013年版,第84、159页。

路,即生活进路、制度进路和心灵进路。学界常关注其德的"治"与"心",以"心"统"治";把"生"作"性",内含"天命"中;把"道"作"言",推扩"文章"(或学问)中;重视其德治的社会进程,遮蔽其人生进程。此以其进德之序,推引其德治理想,沿其"道"贯通"礼"之生活进路、"法"之制度进路与"仁"之心灵进路,树立"圣"的生命典范,规制"王"与"民"的文化实践。

Confucius' Views of Virtue and Ideal of Rule of Virtue in *The Analects*

YUAN Yongfei

(Center of Research on Humanitic Medicine, Zunyi Medical University, Zunyi, Guizhou, 563003)

Abstract: Confucius' virtue in *The Analects* has four intentions of the life, the way, the management and the heart. The rule of virtue contains such three routes as life approach, system approach and mind approach. The academic circles often pay more attention to its managing and heart. They govern managing with heart, regard life contained in the destiny, as nature, view the way as language in the articles. Social process of rule of virtue is valued while its life process is covered. A life model of the sage is set up and cultural practice of the king and the subjects are regulated by introducing his ideal of rule of virtue and joining the life approach of the ritual, the system approach of the law and the mind approach of the benevolence in the sequence of learning virtue.

Key words: Confucius; *The Analects*; virtue; rule of virtue; the way

鲁国世卿制与孔子的政治活动

代 云

(河南省社会科学院 哲学与宗教研究所,河南 郑州 450002)

摘 要:孔子一生志于以其道易天下,因此了解孔子的政治活动对于理解他的思想有重要意义。孔子生活的年代,鲁国政局的特点是公室卑、三桓强。三桓是春秋时代鲁国的世卿,三桓专鲁政是孔子政治活动的大背景。南蒯、阳虎等人的叛乱,使季氏开始考虑抑制"旧式宗法家臣"的势力,擢拔非宗法性的才能之士为其所用,正是在这个背景下,孔子登上鲁国政治舞台。孔子主要的政治活动是夹谷之会和堕三都,堕三都失败后流亡国外。14 年的流亡生涯,是孔子思想上趋于成熟的时期。

关键词:孔子;鲁国;世卿

孔子一生志于以其道易天下,因此了解孔子的政治活动对于理解他的思想有重要意义。孔子生于鲁襄公 22 年(前 551),卒于鲁哀公 16 年(前 479)。这一时期鲁国政局的特点是公室卑、三桓强。三桓是春秋时代鲁国的世卿,三桓专鲁政是孔子政治活动的大背景。当然,这一局面的出现有一个过程,这里概述如下。

一、鲁国世卿制的形成与演变

(一)"庆父之难"与季友的"大功"

春秋中后期成为鲁国世卿的三桓(季孙氏、孟孙氏、叔孙氏)始立于鲁僖公时期。鲁僖公的即位终结了几乎倾覆鲁国社稷的"庆父之难",而"庆父之难"的根源

作者简介:代云(1973—),女,河南舞阳人,河南省社会科学院哲学与宗教研究所助理研究员,法学硕士,主要从事中国传统哲学研究。

则是西周至春秋初期鲁国君位继承制的演变。

鲁国的君位继承,从第一位国君鲁公伯禽到第九位国君武公敖之间,一直是稳定的一继一及制,即父死子继与兄终弟及相交替。直到武公死后,依例应当父死子继时,由于周宣王插手,使得武公的小儿子戏越过兄长括继位,是为鲁懿公。后来戏被括的儿子伯御杀掉,宣王又杀掉伯御,立戏的弟弟称为国君,是为鲁孝公①。孝公死后,依例传子,是为惠公。在从惠公往下传的时候,依例本该兄终弟及,传给惠公的弟弟,但是,惠公在活着的时候就立幼子允(后来的鲁桓公)为太子,也就是说,他明确地打算终结鲁国自立国之初就实行的一继一及制,改为嫡长制。由于在一继一及制下,君位沿兄终弟及中的"弟"这一系往下传,惠公此举意味着他把本属于自己弟弟及其后代的君位继承权永久地剥夺了,而夺来的继承权则永远地落入自己这一系。

王恩田在论及一继一及与嫡长制的区别时说:"嫡长制严格排斥传弟的可能性,而一继一及制则允许传弟;嫡长制要求传兄之子,而一继一及制则要求传弟之子。"②这"决定了一继一及制其实质应是幼子继承制"③。

鲁惠公这种"自我作古"的做法,既不遵继及制的传统,又不合传子制的规矩④,给鲁国政局埋下隐患。鲁惠公死时太子允年幼,庶子息姑以长子身份管理国事,为鲁隐公。最后隐公被弑,太子允继位,为鲁桓公。桓公死后,其嫡子同即位,是为鲁庄公。可以看到,从隐公到桓公再到庄公,在形式上成了兄终弟及与父死子继的交替,这无疑模糊了惠公的意图,因此,在庄公去世前后出现君位继承争端,爆发了鲁国历史上最大的内乱,即所谓"庆父之难"。

---

① 需要说明的是,周宣王干预鲁国君位继承虽然于礼不合,但并没有改变鲁国一继一及的继承制。事实上,即使括继承君位,但是在往下传时行兄终弟及,还得把君位传给弟弟中的一个,因此他的儿子们并没有继位的机会。
② 王恩田:《从鲁国继承制度看嫡长制的形成》,《东岳论丛》1980 年第 3 期。
③ 王恩田:《鲁国金文与幼子继承制》,复旦大学出土文献与古文字研究中心,2015 年 7 月 31 日。
④ 《公羊传·隐公元年》:"立适以长不以贤,立子以贵不以长。"据韩席筹《左传分国集注》卷二《隐公居摄》:"夫惠,惠公继室之子,国人所共知也。桓公之为嫡,国人所不知也。何也?礼,诸侯不再娶。孟子卒而声子继,则隐非嫡而民。桓母仲子亦妾媵耳,而徒以手文之祥为鲁夫人,则荒诞无稽,桓之为嫡微矣,岂国人所得知哉?"即是说桓公非嫡,而隐公既贵且长。转引自郭克煜等:《鲁国史》,人民出版社 1994 年版,第 78 页。

当时庄公与三个兄弟庆父、叔牙、季友在继承人问题上分成两派：庆父与叔牙主张传弟,立庆父;庄公与季友主张传子,立庄公庶子公子般。关于传弟的依据,叔牙说了一段重要的话:"一继一及,鲁之常也。庆父在,可为嗣,君何忧?"(《史记》卷三十三《鲁周公世家第三》)叔牙敢搬出旧制堵庄公,说明从惠公开始的改继及制为嫡长制的努力没有完全奏效,结果只能通过互相斗争、杀戮来强制推行,最后在齐桓公的支持下,季友扶立公子申(鲁僖公)即位,此后鲁国的嫡长制才确立起来,而季友对鲁国的"大功"①也正在这里。作为回报,他的家族世执鲁政,成为世卿的代表。另外,"按'一继一及'的鲁之旧制,孟孙氏之祖庆父也可以是君位的继承人。季友既然一反旧制而拥立庄公之子,为免遭物议,只好立庆父、叔牙之后"②。回顾这段历史我们注意到,鲁国政治中世卿的出现与君位继承中嫡长制的确立在时间上同步,这也许可以视为一种回报、补偿。

(二)季氏专鲁政与驱逐季氏的斗争

季孙氏始祖季友于鲁僖公18年(前642)去世,由于其子齐仲无佚早亡,东门襄仲③执掌鲁政,历僖、文、宣三世30余年。僖公死后,襄仲扶立其子兴,是为文公。文公死后,在齐惠公支持下,襄仲杀死文公嫡子恶与视,立庶子俀为君,是为宣公。为回报齐国的支持,襄仲在外交上全面倒向齐国,并以损害鲁国利益为前提巩固自己的权势④。宣公8年(前602),襄仲去世,三桓执鲁政,襄仲之子公孙归父欲借晋人之力去三桓,未果。宣公一死,季孙行父(季友之孙)就以"杀適立庶"的罪名驱逐了东门氏。煊赫一时的东门氏就此衰落下去,三桓专鲁政的局面形成。

与三桓专政相表里的是鲁公室的衰微,标志性事件是襄公11年(前561)的"三分公室"与昭公5年(前537)的"四分公室"。

郭克煜等人认为:"'三分公室''四分公室'既与'作三军''舍中军'相连,足见

---

① 鲁定公即位后,晋国史墨答赵简子问"季氏亡乎"时说:"不亡。 季友有大功于鲁,受费为上卿,至于文子、武子,世增其业。 ……"(《史记》卷三十三《鲁周公世家第三》)
② 郭克煜等:《鲁国史》,人民出版社1994年版,第113页。
③ 东门襄仲乃庄公之子,名遂,字仲,谥襄,史或称公子遂、襄仲、仲遂,因居鲁城东门,经传又称东门襄仲。
④ 《左传·宣公元年》:"六月,齐人取济西之田,为立公故,以赂齐也。"

是军赋兵役征取权力的瓜分。因此也可以说是鲁赋制的两次变革。"①值得注意的是,这两次瓜分不仅削弱了鲁公室,还是三桓内部权力的再分配。

作为世卿,三桓之间的分工是:季孙氏世为鲁司徒,孟孙氏世为鲁司空,叔孙氏世为鲁司马。司马掌军政,因此季氏这两次瓜分军赋的举措,也是在瓜分叔孙氏的军权。"四分公室"之后,"于三桓中确立了季孙氏的首领地位"②。因此,所谓的三桓专鲁政实际上变成了季氏专鲁政。

三桓专鲁政造成鲁公室与三桓的矛盾,而三桓之中季孙氏独大,又使得三桓之间除了联合还有斗争,其焦点是各方政治势力驱逐季氏的斗争。

鲁成公16年(前575),叔孙侨如"欲去季、孟而取其室"(《左传·成公十六年》),同东门氏一样,他也试图借助霸主晋国之力来实施,最后没有成功,失败后逃亡国外。昭公12年(前530),季平子家臣费宰南蒯因不受礼遇,欲"出季氏,而归其室于公",并打算"以费为公臣"(《左传·昭公十二年》),最后也没有成功,事败逃亡至齐。昭公25年(前517),鲁昭公因不堪季氏长期凌辱,在郈氏、臧氏、东门氏等贵族支持下,发兵讨伐季氏,因急于求成,被三家反扑,失败后流亡国外,7年后客死异乡。

针对季氏的斗争持续时间最长、动摇季氏根本的是家臣阳虎的叛乱。阳虎(或称阳货)本为孟孙氏庶支,后为季孙氏家臣,先后事季武子、季平子、季桓子三代家主。定公5年(前505)至定公9年(前501),阳虎控制了季孙氏,进而以陪臣执国命,并试图取三桓而代之③,失败后辗转逃亡至晋国。

南蒯、阳虎等人的叛乱,使季氏开始考虑抑制"旧式宗法家臣"④的势力,擢拔非宗法性的才能之士为其所用,正是在这个背景下,孔子登上鲁国政治舞台。

---

① 郭克煜等:《鲁国史》,人民出版社1994年版,第210页。
② 郭克煜等:《鲁国史》,人民出版社1994年版,第212页。
③ 《左传·定公八年》:"阳虎欲去三桓,以季寤更季氏,以叔孙辄更叔孙氏,己更孟氏。"
④ 关于孔子仕鲁的契机,童书业认为:"阳虎于定八、九年间作乱,失败奔齐,次年传遂书夹谷之会'孔丘相',是孔子及其门徒登用于阳虎失败之后,明是季孙氏等用之,所以抑制有土有民之旧式宗法家臣也。"见童书业:《春秋左传研究》,上海人民出版社1980年版,第89页。

二、孔子的主要政治活动

鲁定公9年(前501),阳虎兵败逃亡之后,定公命孔子为中都宰,次年初升至大司寇。鲁司寇一职原本为臧氏世袭,爵位为下卿,臧氏(昭伯)由于支持鲁昭公逐季氏,失败后随其流亡国外,丢掉了世袭官职,由此孔子方得任鲁司寇一职。孔子任司寇期间主要的政治活动是夹谷之会和堕三都,堕三都失败后流亡国外。

(一)夹谷之会与堕三都

鲁、齐夹谷之会发生在定公10年(前500),孔子以鲁司寇行相礼。此次盟会的国际背景是晋国霸权衰落[①],齐景公试图恢复齐国霸业,在定公7年(前503)与郑、卫盟会,将其纳入以齐为中心的同盟中。鲁国此前一直依晋抗齐,此时尚未叛晋,这次会盟齐国要达到的目的就是使鲁国叛晋附齐。为使鲁国屈服,齐国采取了很多不光彩的手段:会盟前试图"使莱人以兵劫鲁侯",被孔子化解并斥责一番,盟会时又临时单方面加上"齐师出境而不以甲车三百乘从我者,有如此盟"的辞句,蛮横无礼至极,孔子则趁机向齐国索还被齐侵占的土地,也临时加上"而不返我汶阳之田,吾以共命者,亦如之"(《左传·定公十年》)的盟辞[②]。盟会之后,又依礼("牺象不出门,嘉乐不野合")拒绝齐景公别有用心的"享礼"。夹谷之会的最终结果是鲁国叛晋事齐[③],孔子在这次重要的政治事件中,在"鲁为齐弱久矣"(《左传·哀公十四年》)的情况下,表现得知礼且有勇,最大限度地维护鲁君尊严,为鲁国争取利益,应该说是一次成功的外交活动。

堕三都事在定公12年(前498),"三都"是三桓的封邑,分别指季孙氏的费邑、叔孙氏的郈邑、孟孙氏的成邑。其时三桓(主要是叔孙氏和季孙氏)苦于家臣叛乱[④],而这些封邑往往就是叛乱的据点。为了消除宗法家臣叛乱的根源,季氏支持孔子及其弟子堕都之举。叔孙氏由于刚发生郈邑叛乱,对此表现得最积极,堕郈邑

[①] 《左传·定公四年》载召陵之会时"晋人假羽旄于郑,郑人与之。明日,或旆以会。晋于是乎失诸侯"。
[②] 据《左传·僖公元年》"公赐季友汶阳之田及费"可知"汶阳之田"乃季氏封地,此地后来为齐侵占,故童书业认为孔子此举"是为季氏尽力也"。见童书业:《春秋左传研究》,上海人民出版社1980年版,第90页。
[③] 《左传·定公十一年》:"及郑平,始叛晋。"
[④] 昭公十二年,季孙氏家臣南蒯以费叛。定公十年,叔孙氏郈邑马正侯犯以郈叛。

也最顺利。隳季氏的费邑时遭到费宰公山不狃(或称公山弗扰)的反抗,一番周折后才成功隳费。孟孙氏此前未遭家臣之叛,对隳都之事阳奉阴违,定公围成邑不克,最终隳三都功亏一篑。

(二) 周游列国

据《孟子·万章下》"孔子有见行可之仕,有际可之仕,有公养之仕也。于季桓子,见行可之仕也;于卫灵公,际可之仕也;于卫孝公,公养之仕也",童书业认为"孔子之仕于鲁,实仕于季孙氏也"①。夹谷之会向齐国索要"汶阳之田",为季氏讨回封地,隳费邑为季氏消除心腹大患,至此双方合作愉快。但孔子出仕的目的在于实现自己的政治抱负,而不是为季氏尽力,因此这种合作从一开始就是同床异梦、貌合神离,其失败几乎是注定的。以"公伯寮愬子路于季孙"(《论语·宪问》)为征兆,孔子与季氏的合作出现裂痕②,其后又加上齐国的插手③,内外交攻之下,定公13年(前497),孔子离开鲁国,开始长达14年的流亡生涯。

孔子流亡的路线大致是:定公13年(前497),去鲁奔卫。哀公2年(前493)离开卫国,经曹、宋、郑,南下至陈国。哀公6年(前489),去陈适蔡,由蔡至楚叶县,再自叶返卫。哀公11年(前484)返回鲁国。

孔子流亡生涯中多次险遭不测,主要的有三次:第一次是定公14年(前496)去卫西行时,遭遇匡、蒲之围;第二次是在过宋时,孔子"与弟子习礼大树下。宋司马桓魋欲杀孔子,拔其树。孔子去"(《史记》卷四十七《孔子世家第十七》);第三次是在离开陈国时,因绝粮困于陈、蔡之间。

14年的流亡生涯,在孔子人生历程中是一段重要的经历。这是他在国内政治失败后在国外寻找机会施展抱负的时期,也是他思想上趋于成熟的时期。

---

① 童书业:《春秋左传研究》,上海人民出版社1980年版,第89页。
② 童书业分析此事时认为:"季氏亲属之名上多有'公'字(如'公鸟''公亥'等,盖季氏僭为公族之故?),公伯寮至少为季氏宗法家臣,其愬子路亦犹秦之贵戚害商鞅、楚之贵戚害吴起也。"见童书业:《春秋左传研究》,上海人民出版社1980年版,第92页。
③ 关于孔子被迫流亡国外的原因,李零认为"孔子是齐、鲁政治交易的牺牲品"。见李零:《去圣乃得真孔子:〈论语〉纵横读》,生活·读书·新知三联书店2008年版,第251页。

The Shiqing System of Lu and Confucius' Political Activities

DAI Yun

(Institute of Philosophy and Religion, Academy of Social Sciences of Henan Province, Zhengzhou, Henan, 450002)

Abstract: Confucius devoted all his life to changing the world with his way, so the understanding of his political activities is important to figure out his thoughts. In Confucius' day, Lu's political situation was that the country was weak while three families were powerful. These three families were the Shiqing (hereditary nobility) of Lu in the Spring and Autumn Period. Three families' control of Lu was the background of Confucius' political activities. The rebellion of Nan Kuai and Yang Hu made the Jis begin to restrain the power of old patriarchal clan system retainers, and employ talented people who were not related to the old patriarchal clan system. It was under this background that Confucius emerged on the political stage of Lu. Confucius' major political activities were Jiagu meeting and "destroying" three capital cities. He had to exile abroad after the failure of "destroying" three capital cities. The 14-year exile was a period when Confucius' thought gradually developed.

Key words: Confucius; Lu; Shiqing

何谓"孔颜之乐"

——基于"生活向度"与"境界向度"之探讨

邵 宇[1] 余贵奇[2]

(1 郑州大学马克思主义学院,2 郑州大学哲学学院,河南 郑州 450001)

摘 要:历来学者多将"孔颜之乐"作为儒家德性幸福的典范,并以此为基础分析、建构德性幸福理论。但此命题往往被不证而用,其合理性的论证屡被忽略,值得深思。只有以"孔颜之乐"双重向度(生活向度和境界向度)为切入点,把握其"合一"内核(知行合一和天人合一),才能证明此命题的合理性,在此基础上也才能进一步挖掘其现实价值。"孔颜之乐"所展现的幸福生态圈,为人类的生活提供了一套切实可行又具有高妙境界的参照体系,对构建幸福社会具有借鉴指导作用。

关键词:孔颜之乐;儒家德性幸福;双重向度;合一内核

一、问题提出:"孔颜之乐"作为儒家德性幸福的典范依据何在?

"孔颜之乐",论其来源,可追溯到先秦儒学之中,其所代表的是孔子和颜回安于贫困、乐于求道的人生态度;先秦时期的"曾点之乐""君子三乐"的内涵皆与其相似;后世儒学中,以周敦颐为代表的宋明理学家高度提升了"孔颜之乐"的地位,使其由精神状态上升到精神境界,从经验层面上升到超越层面。"孔颜之乐"逐渐成为融合了道德体悟与践行成圣的体系。

历来学者多将"孔颜之乐"作为儒家德性幸福的典范,并以此为基础分析、建构

作者简介:邵宇(1993—),男,河南南阳人,郑州大学马克思主义学院 2019 级马克思主义基本原理博士研究生,主要从事中国马克思主义基本原理及其中国化研究;余贵奇(1995—),男,河南信阳人,郑州大学哲学学院 2017 级中国哲学硕士研究生,主要从事中国古代哲学研究。

德性幸福理论。但"孔颜之乐"作为儒家德性幸福典范的合理性如何证实？此问题有待考究。这正是本文所要探讨的问题。当今学界在探讨"孔颜之乐"命题时依旧延续历来做法，诸多文章都将"孔颜之乐是儒家德性幸福的典范"作为处理两者关系的立场，并由此基础指向现代德性幸福或者幸福观的建构和现行价值①。

但是，对于这样的基础性命题，却很难找到证明其合理性的论据或文章。秉承严谨的态度，应当将"孔颜之乐"的内核探究清楚，并找到其与儒家德性幸福的关键契合点，如此才可以有力地证明此命题的正当性。本文正是基于这样的思路与问题现状，从其核心双重向度进行详细分析。其双重向度为生活向度和境界向度。生活向度包含三个过程——体悟、践行与成圣之初，即在道德(仁)的全体过程中，三者互融不可分割，即知行合一；境界向度包含了境界成型之全过程，这种成型的境界就是天人合一。知行合一所代表的生活向度和天人合一所表征的境界向度相融合，贯穿了"孔颜之乐"的全过程。

二、"孔颜之乐"之生活向度——知行合一

孔子的"仁"的思想是儒家思想的核心。它由紧密联系在一起的两个部分组成，即对仁的体悟与对仁的践行。体仁是践仁的先决条件，践仁是体仁的实践工夫。"孔颜之乐"最初只是对孔子和颜回的人生态度的概括。《论语·述而》记载："子曰：'饭疏食饮水，曲肱而枕之，乐亦在其中矣。不义而富且贵，于我如浮云。'"(《论语·述而》，本文以下引《论语》，只注篇名)"饭疏食饮水，曲肱而枕之"是一种极端穷困潦倒的生活。常人若是过着此种生活，则必然以其为苦、怨天尤人，然而孔子却"乐在其中"。立足于孔子思想，去分析其原因：孔子的生活志趣并不在于对物质享受与财富名利的追求，而是在于对"仁"的体悟与践行。"乐"就是在此过程中自发而生的状态，具体而言是享受在内心中保持"仁"、在实际生活中践行"仁"而获得的幸福与快乐。体仁与践仁实质上就是对道德的追求与践行，故而在孔子看

---

① 目前具有代表性的文章有张彭松：《从"孔颜之乐"看中国伦理文化的德福之道》，《吉首大学学报(社会科学版)》2017年第3期；张方玉：《现代德性幸福何以可能——兼论现代幸福观的哲学建构路径》，《中南大学学报(社会科学版)》2017年第3期；冯晨：《孔子中庸思想与"孔颜之乐"的内在理路》，《道德与文明》2014年第5期。

来,"不义而富且贵,于我如浮云"。即便生活条件再差,物质财富极度匮乏,依然不会以非道德手段去获取财富与名利。这种生活就是合乎道德的生活,也正是对"仁"的专注和追求,用以"仁"为核心的道德充实自己的精神世界,内心才会得到充实与安心,自然感受到来自内心的最真实的幸福,足以使自己忘却周围的一切,摆脱环境的限制。

孔子"乐"的状态在先秦儒家弟子中亦有传承与发扬。作为孔子欣赏的弟子,颜回深刻领会了孔子之乐,忠实地继承并在实际的生活中践行"仁"。"子曰:'回也,其心三月不违仁,其余则日月至焉而已矣。'"(《雍也》)由于内心对"仁"的坚守与日复一日的体悟,颜回才得以在很长一段时间不中断对"仁"的体悟与践行。此恰恰说明体仁与践仁是一体两面,彼此不分的。也正是因为内心对"仁"的体悟与实际生活中对"仁"的践行,颜回方能如孔子那般于贫穷、困厄的生活中依然不改其乐:"子曰:'贤哉,回也!一箪食,一瓢饮,在陋巷,人不堪其忧,回也不改其乐。贤哉,回也!'"(《雍也》)颜回一心只注重内心的道德修养,陶醉其中,使心灵得以栖息,自觉地严格按照"仁"的标准行事,不曾违背,以内心为出发点,向外周延而构建了一个以"仁"为中心的世界。这种不局限于物质生活,以合乎道德的方式来获得生活的圆满状态,正是"忧道不忧贫""安贫乐道"的表现。

整体去审视孔子之乐与颜回之乐,会发现两位贤者的乐处皆来自对"仁"的体悟与践行的生活旨趣,还仅仅局限于个人的状态。但这种局限的状态很快就被打破。因为孔颜对道德的不懈追求,所以先秦儒学内部"孔颜之乐"一直广受门人称颂和传承,不断地延伸出新的含义,乐的内容也被不断地扩展。曾点就是其中代表,因此他的乐也称"曾点之乐"。他将体仁与践仁和自然相融合,表达了对自然之美的欣赏:"莫春者,春服既成,冠者五六人,童子六七人,浴乎沂,风乎舞雩,咏而归。"(《先进》)曾点所表达的"乐"需要结合"礼"的背景而综合考虑,代表的是对"礼"的践行之后所达到的情感饱满状态,其内在基础则是"仁"的体悟与践行,以"礼"发展了"乐"的状态,所以"乐"不再仅是抽象的、没有内在规定的生活旨趣,而是包含着"礼"的情感体验。于是"乐"就进一步变得丰富起来。

孟子则将体仁与践仁落实到社会生活、人伦日用中,所提出的"君子之乐"进一步丰富了"孔颜之乐"的内涵,最终形成先秦儒学"孔颜之乐"基本形态。孟子曰:

"君子有三乐,而王天下不与存焉。父母俱存,兄弟无故,一乐也。仰不愧于天,俯不怍于人,二乐也。得天下英才而教育之,三乐也。君子有三乐,而王天下不与存焉。"(《孟子·尽心上》)

孔子之乐与颜回之乐着重于个人的道德修养,孟子则将家庭伦理道德融入其中,把"父母俱存,兄弟无故"作为"君子之乐"的首要之乐。这也就是说,对"仁"的体悟与践行应该以家庭伦理为基础。亦因此,体仁与践仁不再是无根之木,而是有了充实的内容与根基。"不愧于天、不怍于人"为个人践仁与体仁的前提。个人只有在无愧于天地,不羞惭于他人,对家庭社会尽了自己义务的前提下,才能够于内心中去体悟仁,在实际的生活中践行仁。亦可以说在"不愧于天、不怍于人"的同时,对于"仁"的体悟与践行就已经存在了。"得天下英才而教育之"则是立足于社会的长远发展,把为社会培育人才作为体仁与践仁的内容。有此三乐,虽"王天下不与存焉"。

从尚具有抽象意味、还停留在抽象层面上的"孔颜之乐"到追求饱满之"礼"的"曾点之乐",最后到充满着伦理道德韵味的现实的"君子之乐",体仁与践仁的内容不仅越来越丰富,而且越来越现实化。

这三个代表先秦儒学"孔颜之乐"的典范所具有的共同之处则是,载体是生活环境,运行之方是体仁与践仁,而乐的自然状态的呈现也是体仁与践仁相互融合下的结果。也就是说,基于生活向度上的先秦儒学"孔颜之乐"体现在体仁与践仁的合一作用,也即知行合一,这也正是"孔颜之乐"的生活内核所在,也是儒家道德生活得以成型的关键所在。离开体仁与践仁的合一,儒家道德生活犹如鸟失双翼,谈何说起!

尽管体仁与践仁越来越走向生活,但在这种道德的履行活动中,却已经包含着追求超越的理想境界的萌芽。然而这种超越的境界是什么?或者说"乐"的圆满状态究竟为何?人道是否可以合一?先秦儒学"孔颜之乐"的基本形态并未给出答案,直至宋明时期才由儒学家明确而具体地将其表达出来——天人合一。

三、"孔颜之乐"之境界向度——天人合一

前文已经对先秦"孔颜之乐"进行了分析,其乐尚属自然精神状态,虽有境界萌

芽,但这一境界内涵在先秦时期并未彰显出来,总归为"乐道"。"孔颜之乐"发展到宋明时期则不仅包含了体仁与践仁的道德生活,更蕴含了对天人合一的圣贤境界的追求,即在依照内心的道德规范自然而行的基础上,顺理而为,最终实现与天地万物融通的圣贤之境。这是由于宋明时期,儒学面对佛道思想的冲击,为了捍卫其正统的官方思想地位,宋明理学家在儒家的仁义伦理思想的基础上,融摄佛道两家的智慧,构建出新的儒学体系,而宋明理学不同于其他各个时期的儒学在于其最为注重理想境界。因此,由"孔颜之乐"而周延的天人合一的理想境界,便被宋明理学家乐此不疲地阐发。

"孔颜之乐"的理想境界最早是由北宋时期的周敦颐明确提出来的。"昔受学于周茂叔,每令寻颜子、仲尼乐处,所乐何事。"(《河南程氏遗书》卷二上)程氏二兄弟在跟随周敦颐学习的过程中,周敦颐经常让他们去体悟"孔颜之乐"所蕴含的理想的圣贤之境。然而这种理想的圣贤之境究竟是什么却未被二程点明,只能从周敦颐对《论语》中的"颜子之乐"的评论中得知:"颜子'一箪食,一瓢饮,在陋巷,人不堪其忧,而不改其乐。'夫富贵,人所爱也。颜子不爱不求,而乐乎贫者,独何心哉?天地间有至贵至富可爱可求,而异乎彼者,见其大而忘其小焉尔。见其大则心泰,心泰则无不足;无不足,则富贵贫贱处之一也。处之一则能化而齐。故颜子亚圣。"(《周敦颐集·通书·颜子第二十三》)在周敦颐看来,颜回之所以能够异于常人而"不爱不求"富贵,在于其能够见大忘小。颜子所忘之小者自然是常人所爱所求的富贵名利,其所见大者则是天地间的"至贵至富"。故而颜子虽饭疏食,虽饮冷水,虽居陋巷,而其心泰然安适未尝觉知不足。因此周子认为颜回能居"亚圣"之名,是由于其超越了世俗的富贵名利,将富贵贫贱看为一体,消除其隔阂,达到"与天地同体"的圣贤境界。

至此,周敦颐令二程所寻的"孔颜之乐"的乐处便产生于对天地间的"至贵至富"的追求与悟见:"天地间,至尊者道,至贵者德而已矣。至难得者人,人而至难得者,道德有于身而已矣。"(《周敦颐集·通书·师友上第二十四》)天地间的"至贵至富"便是"道德",而作为"得其秀而最灵"的人最重要、最难得的事情就是对道德的追求并将其内化于身,从而使自身的行动自然而然地合乎道德的规范。如此"道德有于身"的人,基于对道德的追求才能达到"与天地同体"的圣人境界。反言之则是：如此境界的圣贤内化道德于己身，行为举止无不合乎道德规范，或者说，道德规范于他而言，不再是外在的、强制性的，而是其行为的自然而然的直接表现，即人德合一。

由此可以总结出周敦颐的"孔颜之乐"，其路径为见大（见道）—合乎德性—心泰—圆满无不足—富贵贫贱处一。所达到的"处一"状态也即"乐"的境界，即与天地同体的合一。这种合一的境界是在天道观层面上的表示，即人人同受天地而生，在德性的知行合一的生活进展中而达到合一。而程朱理学在周敦颐的基础上继续前行，不过他们逐渐将重心转移到本体论的层面进行诠释。

"颜子在陋巷，'人不堪其忧，回也不改其乐'。箪瓢陋巷非可乐，盖自有其乐耳。'其'字当玩味，自有深意。"（《河南程氏遗书》卷十二）程颢在这里未直接说出"孔颜之乐"乐在何处，仅只是暗示学者"其"字有其深意，应当仔细玩味揣摩。后来朱熹在编著《论语集注》此章时又说："程子之言，引而不发，盖欲学者深思而自得之。今亦不敢妄为之说。学者但当从事于博文约礼之诲，以至于欲罢不能而竭其才，则庶乎有以得之矣。"（宋·朱熹《论语集注》卷三）朱熹于此并未点明程子之言是什么，但是考究程氏思想，就很明显地梳理出在程颢眼中，"孔颜之乐"蕴含着"仁者，浑然与物同体"的境界，即在"大其心，使开阔"的状态下，发挥心的至大、至公功能，将自己与天地中的万物包含在一个息息相关的整体中。他说："学者须先识仁；仁者浑然与物同体，义礼智信皆仁也。识得此理，以诚敬存之而已；不须防检，不须穷索……此理至约，惟患不能守。既能体之而乐，亦不患不能守也。"（《河南程氏遗书》卷二上）在程颢看来，蕴藏于"孔颜之乐"中的"浑然与物同体"的圣人境界是人人皆可以通过修养工夫体验到的，而那些不能体验到这种境界与乐趣的人只不过是"特自小之"而已。达到此种境界与乐趣的方法就是以诚与敬存之，"不须防检，不须穷索"，这种方法就是前文所言的道德生活向度中的知行合一。

程颢对于"孔颜之乐"的阐述虽然扩展了周子的境界之说，但是程颢的这种诠释也不无问题。其境界之说含糊不清："同体"之说虽然极宏大，可是令人茫然。

在程颐和朱子那里，"孔颜之乐"所蕴含的理想境界则被诠释得更为清晰明了。小程和朱子认为"孔颜之乐"所内含的是与"理"合一的境界。《程氏经说》有载："饭疏食饮水，曲肱而枕之，乐亦在其中矣。不义而富且贵，于我如浮云。虽疏食饮水不能改其乐,故云:乐亦在其中矣。非乐疏食饮水也。不义而富贵,视之轻如浮云也。""颜子之乐,非乐箪瓢陋巷也,不以贫窭累其心而改其所乐也,故夫子称其贤。"(《河南程氏经说》卷六)程颐认为,"饭疏食饮水""箪瓢陋巷"本身并没有什么可乐的,"孔颜之乐"指代的是循理之乐,是不被环境所限,或者说是不被事物的状态或气禀所拘束。他说:"古人言乐循理之谓君子,若勉强,只是知循理,非是乐也。才到乐时,便是循理为乐,不循理为不乐,何苦而不循理,自不须勉强也。若夫圣人不勉而中,不思而得,此又上一等事。"(《河南程氏遗书》卷十八)

乐在理中,循理的过程才是乐的过程,所以程颐所说的"孔颜之乐"这种与"理"合一的境界也就是个人的思想、言语和行为全都顺"理"与"道"而发,而不再是勉强自己遵守"理""道"的规范。简而言之,在循理之中各尽其分,使理得以完全实现,这种合一是一种"莫己"的合一。

在此基础上小程又对"孔颜之乐"做了更进一步的诠释,认为"孔颜之乐"不是乐道,而是自乐:"鲜于侁问伊川曰:'颜子何以能不改其乐?'正叔曰:'颜子所乐者何事?'侁对曰:'乐道而已。'伊川曰:'使颜子而乐道,不为颜子矣!'"(《河南程氏外书》卷七)小程认为"孔颜之乐"就是"圣贤之乐"。圣贤自身与理、道融为一体,如果认为圣贤乐道,则有将理、道与人隔绝开来,看作二分的嫌疑。既然道本身与圣贤是一体的,那么乐就是道的外在体现。既然圣贤与道不分彼此,那么也可以说乐是圣贤心境的反映,是其内心之乐的体现。

朱熹则从理本体论的角度对"孔颜之乐"与"理"合一的理想圣贤之境予以形上学的解释:"圣人之心,浑然天理,虽处困极,而乐亦无不在焉。其视不义之富贵,如浮云之无有,漠然无所动于其中也。"(宋·朱熹《论语集注》卷四)"夫人欲尽处,天理流行,随处充满,无少欠阙。故其动静之际,从容如此。而其言志,则又不过即其所居之位,乐其日用之常,初无舍己为人之意。而其胸次悠然,直与天地万物上下同流,各得其所之妙,隐然自见于言外。"(宋·朱熹《论语集注》卷六)

朱熹认为"孔颜之乐"代表的这种与"理"交融的境界,是一个纯粹由理充沛的超越境界,天地万物皆有理而发挥,也即与天地万物浑融无间的境界,道德生活的一切皆循理而为,在此基础上进入的则是超越境界的天人合一。所以朱熹所说的"孔颜之乐"也就是"与理合一"的境界。

"孔颜之乐"在宋儒之时逐步形成了完备的体系,由周敦颐对道德的追求与内化的"人德合一"到程颢诠释为"识仁"后的"与物合一",最后被程颐、朱熹阐释为与"理"合一的理想境界,内容越来越丰富,越来越具有超越性。总括而言,"孔颜之乐"是在对人生意义的思考与追问下力求达到主体与客体融为一体的境界,这也就是"天人合一"的境界。

结　语

"孔颜之乐"的双重向度已然呈现:生活向度中的体仁、践仁到化圣萌芽——合乎德性的知行合一进程;境界向度中的"成圣"——与天地融为一体的境界。而二者融合所形成的"合一"内核,正是"孔颜之乐"的内在核心,其与儒家德性幸福合一体系严密契合。这种"合一"内核以人为关注点,以人的幸福为目的,以和谐合一为核心,包含了由个人、他人、社会、自然万物组成的主体世界,贯穿了经验层面的生活和超越层面的境界,将儒家体悟、践行、成圣三大方面全部融入,最终达到个人的知礼好义和社会的安定幸福。小我带来满足与独享独乐,由小我而进展的大我带来的是共享与圆满,这就是超越性的德性幸福,也是儒家内在的活力和价值所在。因此,完全可以说"孔颜之乐"因其"合一"内核而成为儒家德性幸福的典范,从而解决了历来对这一命题缺乏具体论证与处理的问题。

儒家德性幸福作为中华文化独特的幸福体系广受推崇与研讨,其在新时代依然拥有丰富的现实价值。而"孔颜之乐"作为儒家德性幸福的典范,代表的是文化自信、道德自信。它所具备的"合一"内核不仅仅局限于个人主体的成就,而且可以广泛地周延到世间万物,以伦理道德规范和德性修养为内容的幸福契机对于融合异物之关系、同化万物之体系、改化利益的驱导有润滑作用,人与人不再是以利为寻求对象,而是基于同一的命运、同一的责任、同一的境界而和谐相处,共谋发展,共创美好未来。

What does Confucius and Yan Hui's Cheerfulness Mean
——A Study Based on "Life Orientation" and "Realm Orientation"

SHAO Yu[1]　YU Guiqi[2]

(1.School of Marxism, Zhengzhou University, 2.School of Philosophy, Zhengzhou University, Zhengzhou, Henan, 450001)

Abstract: Scholars always take "Confucius and Yan Hui's cheerfulness" as a model of Confucian moral happiness, and on this basis, analyze and develop the theory of moral happiness. However, it is worth pondering that this proposition is often used without any proof and its rational argumentation is often ignored. Only by starting with the double dimensions of Confucius and Yan Hui's cheerfulness (life orientation and realm orientation) and grasping its core of unity ("the unity of knowledge and action" and "the unity of nature and man"), can the rationality of the proposition be proved and its practical value be further explored. The happy ecosphere presented by "Confucius and Yan Hui's cheerfulness" provides a practical and wonderful reference system for human life, and also serves as a reference for the construction of a happy society.

Key words: Confucius and Yan Hui's cheerfulness; Confucian moral happiness; double dimensions; core of unity

刑名思想研究

荀子"正刑名"思想浅析

孙志强

(武汉大学 哲学学院,湖北 武汉 430072)

摘 要:荀子提出"正刑名"的文化背景,是春秋战国时期以邓析为代表的名家"析辞破律以逐利"的文化学术观念。当时有学者将"刑名"由维持社会稳定的强制规范扭曲为钻营律法漏洞以谋取不正当利益的"诉讼之术",即以"司法解释""刑事诉讼"等领域的知识技能为工具,进而寻求破解政令、法律以谋利的"刑辩之学"。为解决这一问题,荀子提出"正名",论证"名称""语词"是出于社会交际的需要而人为制定的,以此指明"名称"的使用要遵循社会约定。此外,荀子还提出"语词的使用规范",提出使用"既有的一词多义"的语词时,要注意辨析其"能指"究竟对应哪一个"所指";而当创造新的"语词"时,更要保证其"能指"与"所指"的对应关系要确定且唯一。荀子希望通过以上几种用"名"规范,来约束邓析等人对"名称""语词"的曲解与滥用,从而消除产生"析辞破律以逐利"这类文化学术观念的语言基础。

关键词:荀子;正名;刑名;邓析;析辞破律

引 言

自民国至当代,关于荀子名实论的研究,大致是从四个角度切入的,即认识论、逻辑学、语言学与政治伦理学。这类研究往往存在着管中窥豹、过度引申的弊病,其研究成果,也就存在有待商榷之处。

胡适、冯友兰等是从认识论角度切入进行研究的。胡适围绕"荀子认识论的心

作者简介:孙志强(1993—),男,山东东营人,武汉大学哲学学院2015级中国哲学专业硕士研究生,主要从事先秦哲学研究。

理依据"①展开讨论,认为荀子认识论是"'法圣王',与孟子一类"②。冯友兰则围绕"思维与存在的关系问题"展开讨论③,提出荀子"名实论",是唯物主义反映论的观点④。由此可见,冯、胡二人的立论,其实是回答"认识如何形成"这一西方哲学中的认识论问题,这应当说是有违荀子原意了,而其他角度的研究,其问题大抵与牟宗三相似。

比如以汪奠基为代表的"逻辑学派",是从"逻辑学"的角度入手,认为荀子"名实论",是探讨逻辑的问题⑤;以濮之珍、李葆嘉等人为代表的"语言学派",认为荀子名实论,是探讨语言的问题⑥;以曹峰、王堃等人为代表的"伦理学派",认为荀子"名实论",是为了伦理政治目的的实现⑦。以上观点可以说都是过度引用各类学科的理论框架,却忽略了荀子"正名"思想所面对的历史文化背景。

与此同时,笔者注意到在对荀子"正名"思想的研究中,较少提到"正刑名"的概念,但"正刑名"实则是荀子"正四名(即爵名、刑名、文名、散名)"中的一个重要部分。荀子"正刑名"的思想,与荀子法律观乃至儒家法律观都有不可分割的联系。因此,本文将从《荀子·正名》(本文以下引《荀子》,只注篇名)出发,结合荀子对邓析"析文破律"现象的批判,还原春秋战国"以文乱法"的文化背景,并从此出发,探讨荀子"正名"思想中"正刑名"的思想内涵。

一、荀子"正刑名"的学术背景

荀子之所以在《正名》篇中提到"刑名",强调"析辞擅作名以乱正名"会导致"人多辩讼",实际上正是应对春秋战国时期,以邓析等人为代表的名家,其"以文乱法"所造成的政治秩序以及价值标准的崩溃。对此,荀子以"奇辞起,名实乱,是非之形不明,则虽守法之吏,诵数之儒,亦皆乱也"(《正名》)称之,可谓一语中的。

---

① 胡适:《中国哲学史大纲》,上海古籍出版社1997年版,第234页。
② 胡适:《中国哲学史大纲》,上海古籍出版社1997年版,第236页。
③ 冯友兰:《中国哲学史新编》(上册),人民出版社2001年版,第714页。
④ 冯友兰:《中国哲学史新编》(上册),人民出版社2001年版,第700—707页。
⑤ 汪奠基:《荀子的逻辑思想》,《哲学研究》1958年第1期。
⑥ 濮之珍:《荀子的语言学思想》,《学术月刊》1980年第11期。
⑦ 参见曹峰:《〈荀子·正名〉篇新论》,《儒林》(第四辑),山东大学出版社2008年版,第273—276页。

所谓"奇辞起",是指公孙龙、惠施、邓析等人对语言文字的穿凿附会。荀子在《儒效》《非十二子》《正名》诸篇中多次提及对此的批判:

"不法先王,不是礼义,而好治怪说,玩奇辞,甚察而不急,辩而无用,多事而寡功,不可以为治纲纪……是惠施、邓析也。"(《非十二子》)

"不恤是非、然不然之情,以相荐撙,以相耻怍,君子不若惠施、邓析也。"(《儒效》)

"故析辞擅作名以乱正名,使民疑惑,人多辩讼,则谓之大奸;其罪犹为符节、度量之罪也。"(《正名》)

由以上三段文本可知,荀子所说的"奇辞",是与"正名"相对,与《正名》篇中"析辞擅作名"、《非十二子》中"好治怪说,玩奇辞"等表述所指相同。然而细思荀子对此的指斥,如"不法先王,不是礼义""不可以为治纲纪"(《非十二子》)"不恤是非、然不然之情"(《儒效》);"故析辞擅作名以乱正名,使民疑惑,人多辩讼"(《正名》)等,不难发现,荀子认为邓析、惠施等人对语言文字的肆意曲解,不仅仅干扰了个人对"语词""概念"的认识和把握,更是对整个社会"纲纪""礼义""是非"的颠覆,用今天的话说,就是对国家的"政治秩序"以及"价值标准"的挑战与威胁。

因此所谓"名实乱",不仅反映了"名称"与所指"事物"之间、"语词"与"概念"之间,其对应关系的位移,更涵摄了对"法律条文的主观曲解"会产生对"政治秩序""思想观念"和"价值标准"的颠覆与侵犯。这一点,在《吕氏春秋》中,体现得更为分明:

郑国多相县以书者,子产令无县书,邓析致之。子产令无致书,邓析倚之。令无穷,则邓析应之亦无穷矣。是可不可无辩也。可不可无辩,而以赏罚,其罚愈疾,其乱愈疾。此为国之禁也。故辩而不当理则伪,知而不当理则诈。诈伪之民,先王之所诛也。理也者,是非之宗也。(《吕氏春秋·审应览·离谓》)

又

子产治郑,邓析务难之,与民之有狱者约,大狱一衣,小狱襦裤。民之献衣襦裤而学讼者,不可胜数。以非为是,以是为非,是非无度,而可与不可日变。所欲胜因胜,所欲罪因罪。郑国大乱,民口欢哗。子产患之,于是杀邓析而戮之,民心乃服,是非乃定,法律乃行。今世之人,多欲治其国,而莫之诛邓析之类,此所以欲治而愈乱也。

在第一段文本中,邓析与子产之间的冲突,集中体现了名家"析辞擅作名"对"刑名"即"法律"的破坏。子产颁布禁止悬书的法令,所谓"令无县(悬)书",是要禁止郑国百姓悬挂文书,以免造谣生事,扰乱社会秩序。但邓析却紧紧围绕"县(悬)"这一字做文章,曲解法令为"只是禁止百姓将文书悬挂起来,却不反对用其他的方式'悬书'议政",因而提出"致书",即将书钉在墙上或树上。这在字面上不违背法律,而且使子产的政策成了笑话①。由此可知,邓析之"辩",并非仅指逻辑意义上的"思辩",更是法律学意义上的"司法解释"。邓析"析辞破律"的行为,是从解析语言的角度出发,通过分析政令条文中的语言漏洞,从而对"政策""法律"进行主观曲解。这种行为虽然是对法律权威以及政治秩序的侵犯,但邓析却能利用其对"语词""概念"等知识的深刻理解,逃避法律的惩处。因此,以邓析为代表的名家,其对"语言""法律"的见解愈深,愈会损害支撑国家平稳运行的司法基础,进而造成政治秩序的崩溃。也正是在这一立场上,荀子才会斥责邓析之徒"甚察而不急,辩而无用,多事而寡功",甚至痛骂其"以相荐撙,以相耻怍"。(《儒效》)

在第二段文本中,我们可以清晰地看到,邓析将"刑事诉讼"的知识技巧视作谋取私利的手段。如上所述,邓析"与民之有狱者约,大狱一衣,小狱襦裤。民之献衣襦裤而学讼者,不可胜数"。邓析替有牢狱之灾的平民辩护,使其免于刑罚,而代价便是"衣、襦裤"等实物财产。此外邓析还开办律师事务所,教授"司法解释""刑事诉讼"的知识技巧,以至于"民之献衣襦裤而学讼者,不可胜数"。由此可见,邓析所谓"刑名之学",其目的并非是完善相关的法律法规,以构建、维护公正的社会秩序,而仅仅是将法律作为谋求不正当利益的工具而已。因此,邓析"析辞破律"的行为,不仅是对统治者施政意图的妨碍,更是对"法律"这一概念本身的消解——法律不再是由统治者制定的,以暴力强制全体社会成员普遍遵守的最基本的行为规范。正因如此,荀子提出"正名",强调"故壹于道法而谨于循令矣""是谨于守名约之功

---

① 程水金:《中国早期文化意识的嬗变》(下册),武汉大学出版社 2014 年版,第 698—699 页。

也"①,这都是在回应邓析等人"析辞破律"所造成的社会问题。

综上所述,荀子"正刑名"的学术背景,是以邓析为代表的名家"析辞破律以逐利"的文化学术观念。而其"正刑名"的目的,在于通过为"语言符号"的创造与使用制定规则,以此消除名家"析辞破律"对"法律"以及"社会秩序"的威胁。

二、荀子"正刑名"的思想内涵

邓析等人"析辞破律",虽然涉及"司法解释""刑事诉讼"等"法律学"的领域,然而归根到底,所谓的"析辞擅作名"仍是对"语词""概念""名称"的曲解与滥用。因此,要想达到"壹于道法而谨于循令"的结果,就必须事先对"语词""名称""概念"的产生及功用有深刻的理解,才能据此为"语词""概念""名称"的使用制定规范,从而彻底杜绝"析辞破律以逐利"这种文化学术观念的产生,这就是荀子所说的"若有王者起,必将有循于旧名,有作于新名。然则所为有名,与所缘以同异,与制名之枢要,不可不察也"②的意思。

(一)"名"的起源及功用

荀子在《正名》篇中首先对"语词"与"名称"的产生原因予以说明:

> 异形离心交喻,异物名实玄纽,贵贱不明,同异不别。如是,则志必有不喻之患,而事必有困废之祸。故知者为之分别,制名以指实……如是,则志无不喻之患,事无困废之祸,此所为有名也。

在这段文本中,荀子揭示了"名称""语词"的产生原因,即"名称""语词"是出于社会交际的需要而人为制定的。

"异形离心交喻,异物名实玄纽"一句,是在假设"无名"的交流方式所造成的交际障碍。"异形"与"异物"同义,都是指"不同的事物"。"离"通"丽",有"附丽、附着"的意思。"离心交喻",即指人在内心之中,用不同的事物来交相比喻说明,比如要表达"牛"这一意思,就须指着现实中的"牛",发出"额额"的声响。而这种粗陋原始的交流方式,是无法准确地指称事物的。举个例子,当我们表达"白"这一事

---

① 王先谦:《荀子集解》,中华书局1988年版,第414页。
② 王先谦:《荀子集解》,中华书局1988年版,第415页。

物,按照"以物喻物"的方式,就须指着一匹白马,发出"哦哦"的声响,说话的人自己是清楚了,但听者哪里知道你说的是"白"呢,是"马"呢,还是"白马"呢?这一结果就是"名实玄纽":以"白马"喻"白",其结果就是让作为"名称"的事物(白马)与"名称"所指的事物(白色)两者像绕在一起的绳子一样,互相纠缠不清,因而所表达的意义也是一团乱麻,令人难以知晓,这便是"志必有不喻之患",而社会交际也因此障碍重重,难以为继,即"事必有困废之祸"。

有鉴于"以物喻物"的弊病,有识之士提出要制定一种确定的"名",即要为不同的事物分别制定相应的不同"名称",并以"名称"作为媒介,以指称不同的事物,此即所谓"知者为之分别,制名以指实"(《正名》)。这里的"名",实际上就是人为制定的"事物"之"名称",而有了"名称",就可以用"名称"来代替事物本身,从而进行识别和交流了。比如用"白"这一名称,来指代"现实中的白色",如此,就不会犯"以白马喻白",而不知是"白"还是"马"的尴尬。如此一来,每一个事物都有其特定的名称,即名称与事物之间形成了确定的一一对应的关系,那么事物的差别,自然就体现在不同的名称之中,而不会互相混淆,此即所谓"同异别,贵贱明"。如此一来,人对于事物的指认,就可以畅晓无误地传达到每个人的内心之中,"如是,则志无不喻之患",而社会交际也就没有障碍,所谓"事无困废之祸"。

在说明"名称"产生的原因后,荀子进一步揭示了"名称"的起源。荀子认为"名称"是"约定俗成"的,即"名称"起源于社会的约定。

> 散名之加于万物者,则从诸夏之成俗曲期,远方异俗之乡,则因之而为通。(《正名》)

"散名之加于万物者"(《正名》),即"事事物物"之"名称",也就是"物名"。荀子认为各类"物名",其来源是"诸夏之成俗曲期"。"成俗",杨倞注云:"成俗,旧俗方言也。"①也就是只通行于中原地区的,一般民众给予的称呼,亦即今天所谓的"俗称"。"曲期",杨倞注云:"谓委屈期会物之名者也。"②又,王先谦注云:"期,会也。物之稍难名,命之不喻者,则以形状大小会之。"③杨倞解"期"为"期会",本就语义

---

① 王先谦:《荀子集解》,中华书局1988年版,第411页。
② 王先谦:《荀子集解》,中华书局1988年版,第411页。
③ 王先谦:《荀子集解》,中华书局1988年版,第412页。

不清,王又在杨注的基础上,将"期会"干脆解释成"以名与物相合",从而引申出"喻(说明)"的含义,这种解释就太过迂曲了。

其实,"期"本就有"期约、约定"的意思。《说文》段注云:"期者,要约之意。"①所以"曲期"与"成俗"实际上是互文,即"约定好用俗称作为媒介,以指称事物",而这种做法相比于"以物喻物",是借助媒介来说明事物的,因此是一种"委婉曲折的比喻方式"。"成俗曲期",实际上就是讲事物之"名称",是社会约定的产物。又因为"诸夏之成俗(俗称)"只是通行于中原区域的一般性称呼,所以如果"四夷"想要与"中原"交流,就要"因之而为通",即四夷的人民,在使用事物之"名称"的时候,要依从中原地区的社会约定,使用中原的"俗称"。

又

> 是所以共其约名以相期也。(《正名》)

又

> 名无固宜,约之以命,约定俗成谓之宜,异于约则谓之不宜。名无固实,约之以命实,约定俗成谓之实名。(《正名》)

这里荀子更为明确地提出了:"名称"之所以能够指称"事物",是因为这是社会的共同约定。所谓"共其约名以相期也",是指人们为了社会交际,共同使用约定好的"名称"来"相互期许",以指称"事物"。换句话说,作为事物代称的"名",是"约之以命"的,即这种"约定俗成"的"名称",就是人们出于交流的目的,为了"辨同异"而创造出来的,作为事物代称的语言媒介。"名无固实,约之以命实",是讲"名称"与所指"事物"的对应关系,完全源于人们的命名、约定,比如人们共同约定用"马"这一名称指称"现实中的马",那么"马名"与"马实",它们之间确定的对应关系也就因人们的约定而诞生。

综上所述,荀子认为"名称""语词"产生的原因,是出于社会交际的需要。人们在日常交流中,需要借助"名称""语词"来指称事物,以此达到交流的目的。因此,"名称""语词"就是社会约定的产物,"名称""语词"与"事物""概念"之间的对应关系,都是由人们共同约定而诞生的。

---

① 段玉裁:《说文解字注》,浙江古籍出版社 2007 年版,第 314 页。

（二）"名"的使用原则与规范

在讲明"名称""语词"的起源与功用之后，荀子继而对其使用制定规范，其中包括"名称"的使用原则以及"语词"的运用规范。

因为"名称"是"社会约定"的产物，所以"名称"的使用，"约定俗成谓之宜，异于约则谓之不宜"（《正名》），具体而言，就是"名称"与"事物"的对应关系，要符合社会的共同约定。

"非而谒楹有牛，马非马也。"此惑于用名以乱实者也。验之名约，以其所受悖其所辞，则能禁之矣。（《正名》）

"非而谒楹有牛，马非马也"，前人注疏颇多，此不赘述。按照上文所述，此处"验之名约"，正是指"名称"的使用，应当服从"约定俗成"的标准。由此反观"非而谒楹有牛，马非马也"，则原文不难理解：

"非而谒楹有牛，马非马也"，其中"谒"或为"谓"字之误，形近而讹。"有"应读作"又"，故全句应作："非而谓，楹又牛，马非马也。"[1]意思是"错误地使用名称，将'楹'（柱子）又叫作'牛'，'牛'又叫作'楹'（柱子），'马'也不叫作'马'，而是有别的名称"。将"牛"叫作"楹"的行为，换句话说，就是将"名称"与所指"事物"随意搭配，而这无疑破坏了"名称"与所指"事物"之间一一对应的关系，也就是说造成"名称"所指的混乱，如说"牛"，人不再知道你是指"牛"还是其他任何事物，也就是荀子所说的"用名以乱实者"。

"非而谓，楹又牛"的做法，无疑是对"名称"本质的违背，即违背了社会的共同约定，将"名称"与所指"事物"随意搭配。这样一来，"牛"这一"名称"就可以指称任何事物，而任何事物也可以随意冠以任何一个名称，其结果是"名称"彻底失去了指称、识别的作用。因此，荀子反复强调"名称"本是"社会约定"的产物，所谓"名无固实，约之以命实，约定俗成谓之实名"（《正名》）。如果违背了"名约"，也就是违背了"名称"的根源和本质，"名称"的存在也就彻底失去了意义。

"语词"的运用规范，可分为两部分："有循于旧名""有作于新名"（《正名》）。

---

[1] 此处说法引自程二行：《荀子的名学理论及其"用名三惑"通诂》，载章必功等编纂：《先秦两汉文学论集——贺褚斌教授从教50周年》，学苑出版社2004年版，第168页。

前者指在运用"一词多义"的语词时,要注意辨析该"语词"的"能指"与"所指"的对应关系。而后者,则更强调新的"语词"在制定之时,"能指"与"所指"的对应关系要确定且唯一。

> 散名之在人者:生之所以然者谓之性。性之和所生,精合感应,不事而自然谓之性……心虑而能为之动谓之伪。虑积焉能习焉而后成谓之伪……所以知之在人者谓之知。知有所合谓之智。智所以能之在人者谓之能。能有所合谓之能。(《正名》)

荀子对"性""能""伪"等"语词"的分析,就是在"同一语词可能具备多重含义"的"名实相乖"的背景下诞生的。荀子认为,"性"同时有"表原因的天性"和"表状态的本性"这两重含义;"伪"也有"个人的行为"和"后天培养的习惯"这两重含义;"能"同样如此,有"拥有才智的官能"和"才智发挥出来的贤能"两重含义。荀子对"散名之在人者"的解析,正反映了随着"世易时移","语词"的"能指"渐渐有多个"所指"的现象。对此,荀子提出的对策是,在理解和运用这些"多义词"时,就要加上注疏辅助理解。

"旧名"需要因循社会的共同约定,因此不得不在此基础上添加注解。但"有作于新名"则不同,荀子为了避免再次陷入"同一能指可能有多个所指"所导致的尴尬,为新"语词"的制定,树立了三条原则:第一,"同则同之,异则异之"。第二,"单足以喻则单;单不足以喻则兼;单与兼无所相避则共"。第三,"共名、别名"。现详述如下:

> 同则同之,异则异之……知异实者之异名也,故使异实者莫不异名也,不可乱也。(《正名》)

所谓"同则同之,异则异之",是指"能指"与"所指"之间,要保持确定的一一对应关系。换句话说,每个新制定的语词(包括发音和字形),其"能指"与"所指"的对应,应当是唯一且固定的,"能指"不同,则所表达的"所指"一定存在差异。这是荀子提出"语词"制定的理想目标,即所谓"知异实者之异名也,故使异实者莫不异名也,不可乱也"(《正名》)。而为了达到这一目标,荀子提出了"单名""兼名"的说法。

> 单足以喻则单;单不足以喻则兼;单与兼无所相避则共,虽共,不为害

矣。(《正名》)

"单足以喻则单","单"指"单个字",也就是说如果一个"所指",用一个字就足以表达了,那么表达这个"所指"的"能指"就只能由"单个字"构成,比如"马""白"等。而如果一个字不足以表达,就用多个字组合而成"复合词",这就是"单不足以喻则兼",比如"白马""见侮"等。

荀子称"见侮不辱"是"惑于用名以乱名者也"(《正名》),运用的正是上两条原则。"见侮"两字作"兼名",表达的是"被人轻慢欺辱"的意思,而"辱"字作为"单名",本身表达的正是"被人轻慢欺辱的结果",即"感到耻辱",所以"见侮不辱"的说法,实际上违背了"见侮""辱"等"单字词""复合词"所表达的意思。这就是"惑于用名以乱名者也",即使用"能指"而不顾其表达的"所指",最终导致"能指"与"所指"一一对应关系的瓦解。

> 犹使异实者莫不同名也。故万物虽众,有时而欲遍举之,故谓之物。
> 物也者,大共名也。推而共之,共则有共,至于无共然后止。(《正名》)

所谓"共名"的问题,实际上是涉及"类别概念"与"同名同实"的冲突。比如"黑、白、黄、绿"等皆可称为"色","熊、狮、虎、豹"皆可称为"兽",这些现象从表面上看,都是"异实者莫不同名",违背了"同则同之,异则异之"的原则。但荀子以为,此"异实"不同于彼"异实","单名""兼名"表示的是个体的概念,而"共名""别名"则表示的是群体的概念。

在社会交际中,除指称个体事物外,人们还经常会对某一类事物发表看法,这时就需要为这种"一类事物"制定"专门称呼",否则便会陷入无穷无尽的举例无法自拔。荀子以"物"字为例,说"物"这一字是为了"遍举万物"而设的,说的就是这个道理。以"物"为例,"物"字表达的是"全体万物"的群体概念,而非特指"牛、马、白、黑"等个体的事物,而"物"字所表达群体概念,其范围是最广的,因此荀子称之为"大共名"。"推而共之,共则有共,至于无共然后止"则是说"共名"的使用方法。"推"指"推及","共"作动词,意为"赋予共名"。也就是说将"共名"这种表达群体概念的"语词"推广开来,只要事物能构成群体,就给这一群体赋予"共名",一直到个体的事物无法组成群体为止。这种"共名",其实颇为类似今天讲的"种类"的概念,而"共则共之"颇类似"归类"的概念。

有时而欲偏举之,故谓之鸟兽。鸟兽也者,大别名也。推而别之,别则有别,至于无别然后止。(《正名》)

然而群体与群体之间,也有不同。不同的群体之间,或者是包含与被包含的上下层级的关系;或者是平级之间,彼此毫不相涉的两类事物;或者是彼此有交集,但又是不同的两类。那么按照"同则同之,异则异之"的原则,就要对这种不同的群体概念,分别用不同的"语词"来表达。因此,荀子提出"别名","别"本义为"分别",也就是对不同的群体概念分别赋予不同的"语词",来彼此区别。并且荀子以第一种情况为例,针对"物"这一表达"全体万物"的"共名"语词,提出了"鸟兽"这一表达"所有动物"的"别名"语词。"鸟兽"是被包含在"物"当中的,而"鸟兽"在"物"下级概念中,又是范围最广的,因此荀子称之为"大别名"。

荀子称"杀盗非杀人"是"惑于用名以乱实者也"(《正名》),运用的正是"共名、别名"的原则。"盗"本身作为"人"的下级概念,是被包含在"人"的群体概念之中的,换句话说,"盗"是"所有的人"中的一小部分,是"人"这一"共名"的"别名",即"偷盗的人"。因此"杀盗非杀人",实际上违背了"共名、别名"的原则,使用"共名、别名"时,不顾"共名"表达的"群体概念",也不顾"别名"所反映的"不同群体概念"之间复杂的关系,而将"人、盗"等表达群体概念的语词,径直当成"黑、白"这种表达个体概念的语词。这同样会瓦解"共名、别名"与"类别概念"之间的一一对应的关系。

总而言之,荀子认为"共名、别名",所表达的概念是群体概念,这就不同于"单名、兼名"所表达的个体概念。因此,"共名、别名"并非是对"同则同之,异则异之",即每个"能指"所表达的"所指"确定且唯一这一原则的否定。只是"共名、别名"表达的是"类别"的概念,而类别概念,本身就包括了很多的个体概念而已。因此,"同则同之,异则异之"的原则,同样对"共名、别名"有效,即每个"共名、别名",能且只能表达一种"类别概念"。

综上所述,荀子对"名"的使用制定规范,其中包括"名称"的使用原则以及"语词"的运用规范这两类。荀子认为"名称"的使用,应当遵循社会的约定;而"语词"

的运用规范更为复杂,可分为两部分:"有循于旧名""有作于新名"①。前者指在运用"一词多义"的语词时,要注意辨析该"能指"究竟对应哪一个"所指"。而后者,则更强调新的"语词"在制定之时,其"能指"所表达的"所指"要确定且唯一。荀子希望通过以上几种用"名"规范,来约束邓析等人对"名称""语词"的曲解与滥用,从而消除"析辞破律以逐利"的文化学术观念的产生基础。

A Brief Analysis of Xunzi's Thought of "the Proper Name of Punishment"

SUN Zhiqiang

(School of Philosophy, Wuhan University, Wuhan, Hubei 430072)

Abstract: Xunzi proposed "the proper name of punishment" against the background of cultural and academic idea of misrepresenting the law of speeches to pursue profit of famous scholars represented by Dengxi during the Spring and Autumn Period and the Warring States Period. Some scholars twisted the criminal name from the mandatory norms of maintaining social stability to a litigation means of taking advantage of flaws in law to seek unjustified interests, that is, knowledge in the fields like judicial interpretation, criminal procedure was used as a tool to explore the study of criminal defense which profited from an analysis of government decrees and laws. To solve this problem, Xunzi put forward the proper name and demonstrated the names and words were made due to human social communication to indicate the use of names should follow social conventions. In addition, Xunzi also put forward the standards of using words. When existing words with polysemy were used, it was necessary to distinguish the signified of

---

① 王先谦:《荀子集解》,中华书局1988年版,第414页。

the signifier. When new words were created, the corresponding relationship between the signifier and the signified should be determined as unique one. Xunzi hoped to restrict misinterpretation and abuse of names and words by Dengxi and others through above norms of names, thus eliminating language foundation of such cultural and academic idea as "mispresenting the law of speeches to pursuit profit".

Key words: Xunzi; the proper name; the name of punishment; Deng Xi; mispresenting the law of speeches

周易研究

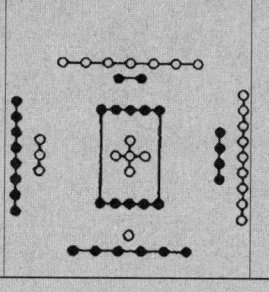

随时变易以从道
——论《周易程氏传》的格局与思路

王若言

（浙江大学　人文学院,浙江　杭州　310028）

摘　要:程颐仅有一部学术专著传世,即《周易程氏传》。综观易学史之纵横,《周易程氏传》承载着程颐的忧思,有着自己的谱系。程颐在《易传序》中用言辞构建自己解《易》的格局,将《序卦》分置于诸卦之首,将六十四卦本身的秩序明确起来。他解《易》沿着《易传》的思路,提倡"随时变易以从道"。通过对"时"的把握,明确变易的限制是"随时"。此处的"时"不仅指时间,更确切地说是万物所处之环境及变易之条件。思接千载,变易的目的是"从道",在观象玩辞间体贴圣人之意。

关键词:《周易程氏传》;谱系;格局;思路

二程传世之言,多为门人或后世学者如朱熹所收集编录,唯独《周易程氏传》（又称《程氏易传》或《伊川易传》）四卷是程颐生前历时数十载而成的学术专著。门人尹焞曰:"先生平生用意,惟在《易传》,求先生之学者,观此足矣。"[1]而程颐自道:"我昔状明道先生之行,我之道盖与明道同。异时欲知我者,求之于此文可也。"[2]按程颐《明道先生行状》言,程颢"谓孟子没而圣学不传,以兴起斯文为己任"[3],此亦当是程颐之志。为《易》作传重申孔孟之道,程氏易学哲学体系由此得以建立,同时对易学史上义理一派起到承前启后的作用。

作者简介:王若言（1988—　），女,安徽颍上人,浙江大学人文学院博士研究生,主要从事儒家哲学研究。
[1]　[宋]朱熹:《伊川先生年谱》,《二程集》,中华书局1981年版,第345页。
[2]　[宋]朱熹:《伊川先生年谱》,《二程集》,中华书局1981年版,第346页。
[3]　[宋]程颢、程颐:《二程集》,王孝鱼点校,中华书局1981年版,第638页。

一、程颐易学的谱系

《宋史·朱震传》记载：

> 震经学深醇，有《汉上易解》云：陈抟以《先天图》传种放，放传穆修，穆修传李之才，之才传邵雍。放以《河图》《洛书》传李溉，溉传许坚，许坚传范谔昌，谔昌传刘牧。穆修以《太极图》传周敦颐，敦颐传程颢、程颐。厥后雍得之，以著《皇极经世》，牧得之，以著《周易钩隐图》，周敦颐得之，以著《太极图说》《通书》，颐得之，以述《易传》。①

按此说，程颐易学思想当与周敦颐、邵雍较为相近，但在《周易程氏传》中并无直接承续周敦颐太极之思想，更是偏离邵雍以象数解《易》的路径。钱基博认为朱震之说颇为后人所疑，并指出："倪天隐述其师胡瑗之说，有《周易口义》十二卷，其说《易》以义理为宗，而程子不信邵雍之数。故邵子《皇极经世》以数言《易》，而程子著《易传》四卷，则黜数而崇理，于胡瑗为近。"②在《周易程氏传》中，确实存在多处程颐对胡瑗解《易》观点的引用例证。

（一）《周易程氏传》与胡瑗的关系

胡瑗对程颐易学思想的影响在《周易程氏传》中有证可取。在《观》卦卦辞后，程颐直接引用胡瑗的原话为《观》卦作注，便是直承胡瑗对《观》卦的批注以定自己解释的路向。

1.直接引用胡瑗观点

> 《周易程氏传·观》：予闻之胡翼之先生曰："君子居上，为天下之表仪，必极其庄敬，则下观仰而化也。故为天下之观，当如宗庙之祭，始盥之时，不可如既盥之后，则下民尽其至诚，颙然瞻仰之矣。"③

对《观》卦的理解，程颐是直接基于胡瑗的说法，此处并无不可。而对《大畜》卦的上九爻爻辞"上九，何天衢，亨"，程颐认同胡瑗之说，谓"予闻之胡先生曰：天之亨衢，误加'何'字"，此处却并不妥当。在上博简楚竹书《周易》中，此处"何"原文便有其

---

① ［元］脱脱等撰：《宋史》，中华书局1985年版，第12908页。
② 钱基博：《经学通志》，广西师范大学出版社2009年版，第23页。
③ ［宋］程颐：《周易程氏传》，中华书局2011年版，第112页。

字"何",丁四新师举证各家之说,认可"何"是"担荷"之义①,显然此处程颐便与胡瑗先生一同误判了"何"字。

2.对胡瑗观点进行辨析与举证

在论及《夬》卦九三爻爻辞语序时,程颐认为原语序有问题,但也不认可胡瑗调整后的语序,而是给出自己的见解。

> 九三,壮于頄,有凶。君子夬夬,独行遇雨,若濡,有愠,无咎。
>
> 爻辞差错,安定胡公移其文曰:"壮于頄,有凶,独行遇雨,若濡有愠,君子夬夬,无咎。"亦未安也。当云:"壮于頄,有凶,独行遇雨,君子夬夬,若濡有愠,无咎。"②

程颐对《渐》卦上九爻爻辞"鸿渐于陆,其羽可用为仪,吉"中的"陆"字有疑问,因为九三爻爻辞"鸿渐于陆,夫征不复,妇孕不育,凶,利御寇"。此处程颐言"安定胡公以陆为逵",并引《尔雅》"九达谓之逵"证之。

> 《周易·渐卦》:上九,鸿渐于陆,其羽可用为仪,吉。
>
> 安定胡公以陆为逵,逵,云③路也,谓虚空之中。《尔雅》:九达谓之逵。逵,通达无阻蔽之义也。上九在至高之位,又益上进,是出乎位之外。在他时则为过矣,于渐之时,居巽之极,必有其序,如鸿之离所止而飞于云空,在人则超逸乎常事之外者也。进至于是,而不失其渐,贤达之高致也。④

胡瑗先生将某一卦的九四爻解释为太子之事,有学生认为恐不妥,便向程颐请教,程颐的回答为"不要拘一"。此答即可看作对卦爻本身的见解,也可看作是对他者解《易》的态度。

---

① 上九,"何"天之衢,吉。"何",帛本、今本作"何"。按:"何"从"可"声,读作"何"。《说文·人部》:"何,儋也。"俗字别作"荷"。 李鼎祚《集解》引虞翻曰:"何,富也。"焦循《章句》:"何,荷也,负也。"虞、焦训是。《噬嗑》初九"屦校灭趾"、上九"何校灭耳"对看,"何"训"担何"。本爻"何"字,训从此。 王弼《注》:"何,辞也,犹云何畜乃天之衢亨乎?"王训误。参见丁四新:《楚竹书与汉简帛书〈周易〉校注》,上海古籍出版社2011年版,第72页。
② [宋]程颐:《周易程氏传》,中华书局2011年版,第247页。
③ 此处王孝鱼点校用"云"有误。参见程颐:《周易程氏传》,中华书局2011年版,第309页。
④ [宋]程颐:《周易程氏传》,中华书局2011年版,第309页。

问:"胡先生解九四作太子,恐不是卦义。"先生云:"亦不妨,只看如何用。当储贰,则做储贰。使九四近君,便做储贰亦不害,但不要拘一。若执一事,则三百八十四爻只作得三百八十四件事便休也。"①

从以上所举《观》《大畜》《夬》《渐》四卦以及回答学生之问可见,程颐受胡瑗的易学思想影响是显而易见的。在《周易程氏传》中,程颐直接引用胡瑗关于《周易》的一些见解,不论赞同与否,确是直陈其事。另一点便是程颐将《序卦传》分置于诸卦卦辞之前,这更是受了胡瑗解《易》重视《序卦传》的影响。胡瑗超越王弼及孔颖达的地方,正是他对卦序意义的申述。程颐推崇胡瑗易说,是取其以儒家学说来解《易》的态度,并非完全按照胡瑗的思路而行,纵观《周易程氏传》全书,可知程颐以"四书"解《易》的文风,亦可谓以《周易》经传来佐证"四书"之观点。正如程颐推荐门人后生读王弼、王荆公一样,取其可取处,为我所用。他秉持"四书"思想离孔子解《易》最为相近的观点,所以从卦爻辞处着手,以接续孔子《易传》的传统。

(二)《周易程氏传》与周敦颐的关系

何以《周易程氏传》一出,便是直接圣贤道理?或许从朱子回答郑子上的一段话中可见一斑。

郑子上问:"风俗滚来滚去,如何到本朝程先生出来,便理会发明得圣贤道理?"曰:"周子二程说的道理如此,亦是上面诸公挪趱将来。当杨刘时,只是理会文字。到范文正孙明复石守道李太伯常夷甫诸人,渐渐刊落枝叶,务去理会政事,思学问见于用处。及胡安定出,又教人作'治道斋',理会政事,渐渐挪得近里,所以周程发明道理出来,非一人之力也。"②

二程思想是在北宋前期诸公影响下渐至成型,程颐易学思想断不会凭空而出。胡瑗、王荆公、邵康节、周敦颐等对《周易程氏传》均有或多或少的影响。今仅提及胡瑗与周敦颐作一小论,是因二人在《周易程氏传》中有着各自的位置,一明一暗,且二人构成争议的对象。

再看周敦颐对程颐易学思想的影响。仅从《周易程氏传》文本所引来看,正如

---

① [宋]程颢、程颐:《二程集》,王孝鱼点校,中华书局1981年版,第249页。
② [宋]黎靖德编:《朱子语类》,王星贤点校,中华书局1986年版,第2915页。

钱基博所引清代刘劭牧《周易详说》之言：

> 而朱子亦谓"程子之学，源于周子"。然考之程子《易传》，无一语及太极，而于《观》《大畜》《夬》《渐》诸卦，云"予闻之胡翼之先生""予闻之胡先生曰"者，不一而足，则是程子之学，源于胡瑗，而于周敦颐无征也。①

钱基博将程颐《易传》的思想更亲近周敦颐还是胡瑗做了比较，结论便是"于胡瑗为近""而于周敦颐无征"。虽然文本并未提及周敦颐的太极，但不可草草断言程颐易学思想未受周敦颐的影响；朱熹所言"程子之学，源于周子"，虽不能说朱熹所谓"程子之学"指程颐易学，但笼统说"程子之学"，必然包括了其易学，周敦颐在易学上对二程有启蒙之师的意义当是无可辩驳的。对于周敦颐的易学思想，程颐虽未直接提及，但却有迹可循。朱熹所作《太极通书后序》有言：

> 先生之学，其妙具于《太极》一图。《通书》之言，皆发此图之蕴。而程先生兄弟语及性命之际，亦未尝不因其说。观《通书》之《诚》《动静》《理性命》等章，及程氏书之《李仲通铭》《程邵公志》《颜子好学论》等篇则可见矣。②

刘乐恒通过引朱熹《太极通书后序》之言，对照程颐《颜子所好何学论》与周敦颐《太极图说》中的思想，得出二程曾在周敦颐处受《太极图》和《通书》的结论，并分别从《通书·诚章》《通书·思章》找出《伊川易传》的治易宗旨为"立诚则无妄""得正则远邪"。认为伊川晚年所作的《周易程氏传》，其治《易》的宗旨、方法以及对义理的发明多本周敦颐《太极图说》《通书》而来。刘乐恒主张周敦颐的《太极图说》《通书》为《周易程氏传》之先绪，而《周易程氏传》则扩发了周敦颐易说之蕴而自成其大③。

在朱伯崑先生的《易学哲学史》以及余敦康先生的《汉宋易学解读》中，并未将胡瑗《周易口义》单独设立章节，但是程颐是明显将胡瑗易说作为《周易程氏传》某些思想的来源之一。至于周敦颐易学思想，以不同于程颐易说的独特性在易学史上的地位是作为显扬的存在，只是在《周易程氏传》中作为隐性的存在有待进一步

---

① 钱基博：《经学通志》，广西师范大学出版社 2009 年版，第 23—24 页。
② 参见朱熹：《太极通书后序》，载《周敦颐集》，中华书局 1990 年版，第 42 页。
③ 刘乐恒：《〈程氏易传〉研究》，华东师范大学 2006 年硕士学位论文，第 55—56 页。

探索。

(三)《周易程氏传》于易学史上之纵横

易学"两派六宗"的提法见于《四库全书总目提要》,其中"两派"为象数派和义理派。象数派中细分为占卜、机祥、造化宗,义理派中有老庄、儒理、史事宗,合称为"六宗"。无论是象数易学、义理易学,还是由两派延伸出的"六宗",它们皆是对易学发展史的归类。而义理派与象数派明显的分野是以王弼《周易略例》的出现为标志的。这两派的分野体现在何处呢? 余敦康先生对此有过启发性的见解:

> 义理派的特征不在于扫落象数,象数派的特征也不在于排斥义理,这两派的分野,关键在于如何处理内容与形式的关系,也就是说,究竟是使内容屈从于形式还是使形式服从于内容。①

二程所谓的理,其主要特征是"儒理",而非老庄的自然之理。《四库全书总目·易类》论及易学的义理派历史演变时有言:"王弼尽黜象数,说以《老》《庄》,一变而胡瑗、程子,始阐明儒理;再变而李光、杨万里,参证史事,《易》遂日启其论端。"上文谈到胡瑗对程颐易学思想的影响,四库易类编撰者也是将胡瑗与程颐并列,作为易学六宗之一。此处专言"儒理",便是将程子的"理"界定为儒学之理,自是与老庄之理有异。再变至杨万里等,已是以史证《易》。朱震作《周易集传》九卷,《周易图》三卷,《周易丛说》一卷,他自言以《周易程氏传》为宗,和会邵雍、张载之论②。由此可见,《周易程氏传》在北宋五子易学论著中已被朱震所宗。

北宋前期诸家解《易》,多说象数。"自程门以后,人方都做道理说了。伊川晚年所见甚实,更无一句悬空说底话。今观《易传》可见,何尝有一句不着实。"③朱熹认为程门开启了有宋一代以《易》说理的主流,而《周易程氏传》说理之言为实,其他言理者不及伊川。朱熹认为吕祖谦评《周易程氏传》所言甚好:"伯恭谓'《易传》理到语精,平易得当,立言无毫发遗恨'。此乃名言。今作文字不能得如此,自是牵强处多。"④朱熹对《周易程氏传》也是多有推崇:

---

① 余敦康:《汉宋易学解读》,华夏出版社 2006 年,第 103 页。
② [元]脱脱等撰:《宋史》,中华书局 1985 年版,第 12909 页。
③ [宋]黎靖德编:《朱子语类》,王星贤点校,中华书局 1986 年版,第 1649 页。
④ [宋]黎靖德编:《朱子语类》,王星贤点校,中华书局 1986 年版,第 1650 页。

看《易传》,若自无所得,纵看数家,反被其惑。伊川教人看《易》,只看王弼《注》,胡安定、王安石《解》。今有伊川《传》,且只看此尤妙。①

宋儒多以王弼《周易注》为蓝本,胡瑗、程颐更是法其义理以通人事,所言看似浅近实为醇实。《周易程氏传》与朱熹《周易本义》是宋儒易学的两座高峰。如程颐与门人所言:"《易》有百余家,难为遍观,如素未读,不晓文义,且须看王弼、胡先生、荆公三家。理会得文意,且要熟读,然后却有用心处。"②程颐对前人著作有所推崇,其《周易程氏传》也已成为后世学者所宗之一。钱基博也说:"万里之书,大旨本程子《易传》,而参引史事以证之,则同李光,初名《易外传》,宋代书肆曾与程《传》并刊,谓之《程杨易传》。"③又言朱子再传弟子董楷将《周易程氏传》与朱熹《周易本义》合为一书,编辑为《周易传义》十四卷。此书将朱子所定古本割裂,散附于《周易程氏传》之后。后来被列于学官的《周易大全》(明成祖命胡广等纂),即以董楷《周易传义》为底本。程颐所宗之王弼《周易注》之内容与顺序,也随着后世《周易程氏传》与《周易本义》的流行而被束之高阁。这与程颐通过《周易》而建立的儒家哲学思想及其格局不无关系。

二、《周易程氏传》的格局

宋明儒家哲学所达高度,至今无法逾越,因其无处不体现创造力。"这种伟大的创造都是以此前的经典为依据的,都是对中国文化,特别是儒家文化的一种创造性发挥。"④《周易程氏传》是程颐晚年思想的集中体现,根于《周易》,但却不仅仅是对经典的解释与注疏,程颐已经有着自觉的思想创造意识。

(一)《易传序》的神思格局

程颐开宗明义给出《周易》之"易"的理解,即"易,变易也,随时变易以从道也"(《周易程氏传·易传序》)。在程颐这里,"易"非简易之易,乃变易之易,且变易的条件是"随时","变易"的目的是"从道"。随后陈述《周易》一书的价值判断及其在

---

① [宋]黎靖德编:《朱子语类》,王星贤点校,中华书局1986年版,第1650页。
② [宋]程颢、程颐:《二程集》,王孝鱼点校,中华书局1981年版,第248页。
③ 钱基博:《经学通志》,广西师范大学出版社2009年版,第24页。
④ 杨立华:《宋明理学十五讲》,北京大学出版社2015年版,第73页。

流传过程中的命运,即

> 其为书也,广大悉备,将以顺性命之理,通幽明之故,尽事物之情,而示开物成务之道也。圣人之忧患后世,可谓至矣。去古虽远,遗经尚存。然而前儒失意以传言,后学诵言而忘味。自秦而下,盖无传矣。

程颐作《周易程氏传》的两个主要原因,即易道广大悉备与前儒后学失意忘味。千载之后的程颐,"悼斯文之湮晦,将俾后人沿流而求源"(《周易程氏传·易传序》),遂作此《传》。

程颐明确提出"予所传者辞也",至于能否"由辞以得义",则"在乎人也"。何以程颐在圣人之道——辞、占、象、变之中钟情于"辞"?其理由一是"吉凶消长之理,进退存亡之道,备于辞";二是"推辞考卦,可以知变,象与占在其中矣";三是"得于辞,不达其意者有矣;未有不得于辞而能通其意者也";四是"至微者,理也;至著者,象也。体用一源,显微无间。'观会通以行其典礼',则辞无所不备"。前三点皆是对第四点的支撑,朱熹对第四点理由的理解为:

> 此是一个理,一个象,一个辞。然欲理会理与象,又须就辞上理会。辞上所载,皆"观会通以行其典礼"之事。凡于事物须就其聚处理会,寻得一个通路行去。若不寻得一个通路,只蓦地行去,则必有碍。"典礼",只是常事。"会",是事之合聚交加难分别处。如庖丁解牛,固是"奏刀騞然,莫不中节";若至那难处,便着些气力,方得通。故《庄子》又说:"虽然,每至于族;吾见其难为,怵然为戒,视为止,行为迟。"庄子说话虽无头当,然极精巧,说得到。今学者却于辞上看"观其会通以行其典礼"也。[1]

朱熹拈出"理、象、辞",因为"象"无法言说,"理"也不自道,所以"欲理会理与象,又须就辞上理会"。言辞所载之事皆有需要"会通"处,朱熹对"会"的解释为"事之合聚交加难分别处",这便把庖丁解牛之理引入,使人在关键处留意。于辞,当重视其所载之事,体会其如何会通,而非在辞上"观会通以行其典礼"。辞本身具有的张力,使得由辞得意在乎人。

---

[1] [宋]黎靖德编:《朱子语类》,王星贤点校,中华书局1986年版,第1653—1654页。

（二）分《序卦》于卦首的秩序格局

《序卦》之中,对《易》开篇的《乾》《坤》二卦无专门解说,对《易》下篇开篇的《咸》卦亦如此。程颐将《序卦》分置于诸卦之首为之作传时,对《乾》《坤》二卦与《咸》卦的处理不同。在《乾》《坤》二卦,是直接为卦辞作传,而在《咸》卦,则是将《序卦》那段明显将《周易》上经与下经隔开的阐述置于《咸》卦卦辞之前,并为之传。王弼《周易注》并未对《序卦》作注,但韩康伯为此作补注。从《序卦》注可见程颐对此所作的处理是有所本的。

> 言《咸》卦之义也。凡《序卦》所明,非《易》之蕴也,盖因卦之次,托以明义。《咸》柔上而刚下,感应以相与,夫妇之象莫美乎斯。人伦之道,莫大乎夫妇,故夫子殷勤深述其义以崇人伦之始,而不系之于《离》①也。先儒以《乾》至《离》为上经,天道也;《咸》至《未济》为下经,人事也。夫《易》六画成卦,三材必备,错综天人以效变化,岂有天道人事偏于上下哉？斯盖守文而不求义,失之远矣!②

韩康伯直言《序卦》此段③所说为《咸》卦之义,并批驳了前人关于上下经以天道人事为分篇的理由。认为此处夫子不将《咸》卦系与《离》卦后解说,反而如此反复申说其义,是因人伦之始值得推崇。程颐认可此点,所以进一步解说,并将上经开篇为《乾》《坤》二卦的原因也一并点明：

> 天地万物之本,夫妇人伦之始,所以上经首《乾》《坤》,下经首《咸》继以《恒》也。天地二物,故二卦分为天地之道。男女交合而成夫妇,故《咸》与《恒》皆二体合为夫妇之义。咸,感也,以说为主;恒,常也,以正为本。而说之道自有正也。正之道固有说焉：巽而动,刚柔皆应,说也。《咸》之为卦,兑上艮下,少女少男也。男女相感之深,莫如少者,故二少为咸也。艮体笃实,止为诚悫之义。男志笃实以下交,女心说而上应,男感之先也。

---

① 楼宇烈校原文无书名号,按文意当有"《》"。参见王弼撰：《周易注》,中华书局 2011 年版,第 387 页。
② [汉]王弼：《周易注》,楼宇烈点校,中华书局 2011 年版,第 387 页。
③ 此段内容为"有天地然后有万物,有万物然后有男女,有男女然后有夫妇,有夫妇然后有父子,有父子然后有君臣,有君臣然后有上下,有上下然后礼仪有所错"。

男先以诚感,则女说而应也。①

程颐将《序卦》分列于诸卦之下,一是认可王弼《周易注》的卦序,二是肯定《序卦》对卦序的解释。这便将《周易》六十四卦之间"随时变易"的道理体现出来。正是在这种秩序井然之中,程颐将其所体贴到的圣人之道灌注于《易》诸卦之间、一卦之诸爻之间。

三、程颐解《易》的思路

程颐对"时"的阐述,与《周易》经传自带的尚时观念有关,也是自家半生在事功与学问之间体贴出的。从《易传序》的"随时"到解《易》之中,程颐多处阐述"时"的意义。也便是在这观象玩辞间,程颐将自家之理附于卦爻辞下,可能不尽如《易》义,但却已然自成一家之言。

(一)随时变易以从道

《易传序》开篇即言"易,变易也,随时变易以从道"。变易的限制是"随时"。此处的"时"不仅指时间,更确切地说是万物所处之环境及变易之条件;变易的目的是"从道"。《周易·彖传》在义理的阐发上,有一个特点,即以"时"的概念说卦②。程颐引《彖传》"随时之义大矣哉"对《随》卦加以解释为:

> 君子之道,随时而动,从宜适变,不可为典要,非造道之深,知几能权者,不能与于此也。故赞之曰:"随时之义大矣哉!"凡赞之者,欲人知其义之大,玩而识之也。此赞随时之义大,与《豫》等诸卦不同,诸卦时与义是两事。③

程颐理解的"随时"即是"从宜适变",不可拘泥于"典要"。所以此处程颐强调"随时之义大"与"豫/遯/姤之时义大矣哉"不同,这里专指"随时"的重要性,其他诸

---

① [宋]程颐:《周易程氏传》,中华书局2011年版,第174页。
② 《彖传》在义理的阐发上,有两个突出之点:一是以"时"的概念说卦。二是以"来""往""上""下""反""进"等词揭示易卦的反对相次之理。参见廖名春:《〈周易〉经传十五讲》,北京大学出版社2012年版,第210页。
③ [宋]程颢、程颐:《二程集》,王孝鱼点校,中华书局1981年版,第794页。

卦所言是指卦之时与卦之义。杨立华在列举"叹卦"①之中"时义大"一组时,只有《豫》《遁》《姤》《旅》②四卦,无《随》卦,也当是注意到程颐所说的此点。杨立华认为"《豫》《遁》等卦强调'时义大',是在强调时与义之间的紧张,时与义并不一定是一致的"③。程颐也在《豫》卦中引《彖传》之后点出"时用"与"义用"是两回事:

> 时义,谓豫之时义。诸卦时用与义用大者,皆赞其大矣哉,《豫》以下十一卦是也。《豫》《遁》《姤》《旅》言时义,《坎》《睽》《蹇》言时用,《颐》《大过》《解》《革》言时,各以其大者也。④

既然要"随时",首先当"知时"。程颐在指导门人读《易》时,特别强调"知时":

> 看《易》,且要知时。凡六爻,人人有用。圣人自有圣人用,贤人自有贤人用,众人自有众人用,学者自有学者用,君有君用,臣有臣用,无所不通。因问:"《坤》是臣之事,人君有用处否?"先生曰:"是何无用?如'厚德载物',人君安可不用?"⑤

一卦之六爻,人皆各有其用,但知用于何时,又于何处取其可用处,皆须知时。在解释《无妄》卦的六二爻辞"不耕获,不菑畬,则利有攸往"时,程颐强调圣人随时而为,待时而行:

> 曰:圣人随时制作,合乎风气之宜,未尝先时而开之也。若不待时,则一圣人足以尽为矣。岂待累圣继作也?时乃事之端,圣人随时而为也。⑥

此处对于经义的解释可能有些牵强,但其道理却无可辩驳,单独拈出可谓至理名言。圣人不仅要"随时""知时",亦要"待时"。

(二)于观象玩辞间寻意

程颐在回答门人张闳中的信中写道:

> 来书云:"《易》之义本起于数。"谓义起于数则非也。有理而后有象,

---

① 《彖传》中对部分卦象的描述用到"时大""时义大""时用大",这些卦合在一起被称为"叹卦"。
② 原文作《履》,当改为《旅》。参见杨立华:《宋明理学十五讲》,北京大学出版社 2015 年版,第 35 页。
③ 杨立华:《宋明理学十五讲》,北京大学出版社 2015 年版,第 35 页。
④ [宋]程颐:《周易程氏传》,中华书局 2011 年版,第 91 页。
⑤ [宋]程颢、程颐:《二程集》,王孝鱼点校,中华书局 1981 年版,第 249 页。
⑥ [宋]程颐:《周易程氏传》,中华书局 2011 年版,第 141 页。

有象而后有数。《易》因象以明理,由象以知数。得其义则象数在其中矣,必欲穷象之隐微,尽数之毫忽,乃寻流逐末,术家之所尚,非儒者之所务也。……理无形也,故因象以明理。理见乎辞矣,则可由辞以观象。故曰"得其义则象数在其中矣"。①

程颐为《周易》作传,尚辞并未弃象。在《易传序》中,程颐引《系辞》中的"君子居则观其象而玩其辞,动则观其变而玩其占",阐明自己走的是"君子居"这条路。《大畜》卦中发挥《大象传》"天在山中,《大畜》,君子以多识前言往行,以畜其德",提出君子观象之目的是"大其蕴畜",而蕴畜的方法在"学",进而道出学的内容。这与程颐所提倡的"涵养须用敬,进学则在致知"②是一致的。

> 君子观象以大其蕴畜。人之蕴畜,由学而大,在多闻前古圣贤之言与行,考迹以观其用,察言以求其心,识而得之,以畜成其德,乃《大畜》之义也。③

程颐对《周易》经传卦爻辞中辞同义异的现象也做了辨析。在《乾》卦后所附《文言》中解释"利见大人"曰:

> 《易》中"利见大人",其言则同,义则有异。如《讼》之利见大人,谓宜见大德中正之人,则其辩明,言在前见。《乾》之二五,则圣人既出,上下相见,共成其事,所利者见大人也,言在见后。④

同为"利见大人",程颐却看到《讼》时,事前见大德中正之人则事成;而《乾》之二五爻,则是遇到圣人之后,方为共事之始。

程颐解《易》的另一特点即是尚辞弃占。丁四新师基于马王堆帛书《要》篇,提出孔子玩《易》、解《易》的三个特点,其中之一为:

> "予非安其用也,而乐其辞也"。所谓"用",指卜筮之用;所谓"辞",指卦爻辞。孔子晚年好《易》的重点,乃在于玩味和推阐卦爻辞所包含的

---

① [宋]程颢、程颐:《二程集》,王孝鱼点校,中华书局1981年版,第271页。
② [宋]程颢、程颐:《二程集》,王孝鱼点校,中华书局1981年版,第188页。
③ [宋]程颐:《周易程氏传》,中华书局2011年版,第146页。
④ [宋]程颐:《周易程氏传》,中华书局2011年版,第8页。

道理,以及占者之主体性(主体性的构成以道德性为主)与吉凶的关系。①
《易传序》中程颐尚"辞"的论说与此相似,但丁四新师随后指出:

> 程颐解《易》几乎不言占——这后来招致了朱熹的反复批评,而孔子则为《周易》建立了"古/巫—数/史—德/君子"三个解释的层次和系统,与伊川舍占而传辞的做法迥然不同。②

其实,程颐岂不知"占"之传统?《系辞》里圣人之道四:"以言者尚其辞,以动者尚其变,以制器者尚其象,以卜筮者尚其占。"辞、变、象、占,程颐何以唯独重视"辞"?从余敦康先生的言语间,或可了然。

> 如果使内容屈从于形式,那么它的哲学思想便会沦落为宗教巫术的奴婢;反之,如果使形式服从于内容,那么它的卦爻结构和编纂体例就成为表现哲学思想的一种工具。《周易》的形式就是象数,它的内容就是义理。由于形式与内容不可分,象数与义理乃是紧密结合在一起的。讲象数,目的在于阐发某种义理,谈义理,也不能脱离象数这种表现工具。③

此说是余敦康先生在《王弼的〈周易略例〉》一文中提出的,由此可见余敦康先生也是偏向于《周易》解释中的哲学表达。程颐当知此理,观象玩辞以寻圣人之意,这是程颐以理学思想注《易》的切入点。程颐将《序卦》《彖传》《象传》《文言》分散于《易经》诸卦之中,而后为之作传,是为缩短经与传之间的距离,沿着圣人《易传》的思路继续探索。

结　语

程颐易学有着明显的儒家说理特点,于圣人之忧处当仁不让,于观象玩辞间寻意体道。当然,程颐在为《周易》作传中单独从辞入手,似乎是避免将《周易》当作卜筮之书。这是其经过慎重选择的结果,因为汉儒重象,至王弼解《易》注重义理,但却是偏离儒家之理。程颐遂在北宋胡安定、周敦颐等人的基础上重申圣人《易传》

---

① 孔子对待《周易》的另外两个观点分别为"我后其祝卜矣,我观其德义耳也"与"孔子主张以德占《易》"。参见丁四新:《马王堆帛书〈易传〉的哲学思想》,《江汉论坛》2015年第1期。
② 丁四新:《马王堆帛书〈易传〉的哲学思想》,《江汉论坛》2015年第1期。
③ 余敦康:《汉宋易学解读》,华夏出版社2006年版,第103页。

的宗旨，以此将圣人之道借《易》而扩大之。《周易程氏传》一书中所展现的思想创造意识，一是体现在《易传序》的思想千载格局，即非常注重《周易》一书的价值判断及其在流传中的命运；二是分《序卦》于封首的秩序格局，即在呈现诸卦本身序次的同时表明对《易》理中蕴含的天然秩序。《周易程氏传》或如朱熹所言，于《易》义不甚明白，但其道理说得却极好。确实如此，《周易程氏传》至今看来依然严谨、朴实。

Changes with Shi to Follow the Way
—On the Structure and Train of Thought of *Cheng's Commentaries on the Book of Changes*

WANG Ruoyan

(School of Humanities, Zhejiang University, Hangzhou, Zhejiang, 310028)

Abstract: *Cheng's Commentaries on the Book of Changes* was Cheng Yi's only handed-down academic monograph. It carried Cheng Yi's worries and had its own system. In the preface to *Yi*, Cheng Yi constructed his own pattern of interpreting *Yi* by putting *Xu Gua* before the other hexagrams and making the order of sixty-four hexagrams clear. Following train of thought in *Yi*, he advocated changes with shi to follow the way and made it clear that the limit of change was to follow shi. To be exact, shi meant not only time, but also the environment of all things and their conditions of change. For a thousand years, the goal of change was to follow the way and consider saints' intentions through pondering over the remarks by the images.

Key words: *Cheng's Commentaries on the Book of Changes*; pedigree; structure; train of thought

医道研究

《黄帝内经》推类方法的逻辑呈现与建构

孙可兴

(河南中医药大学 马克思主义学院,河南 郑州 450046)

摘 要:任何科学思维方式都是一定时代特定的社会历史与政治文化的产物,是人们的生产方式和生活境遇反映于人脑的认识过程和形式表达。先秦推类方法作为中国古代逻辑的主导推理类型,对中国传统文化与思想产生了重要影响。《黄帝内经》是中国古代医家长期医疗实践和医学经验的系统概括与总结,奠基了中医药学理论体系,由成书年代看,其理论形成的过程正是先秦诸子论辩、理论激荡、百家争鸣的过程,因此从认识的发生发展规律来说,无论是它的理论来源或是思想基础都无时无处不受中国传统文化形态的濡染与滋养,其思维方式也呈现出鲜明的"中国特征",成为其主要以推类方法认识生命与阐释医理的内在根据。

关键词:《黄帝内经》;中医学;中国逻辑;推类方法

逻辑思想与方法不仅是人们关于科学思维方式的形式表达,也反映着人们关于历史与文化认知的内在体验。从发生学的角度来看,"文化与逻辑的发生都是特定文化群体内的人们自由自觉的类本质的体现。它们不仅是一种历史文化现象,

---

作者简介:孙可兴(1967—),男,河南巩义人,河南中医药大学马克思主义学院副教授,硕士生导师,哲学博士,主要从事中国传统逻辑与文化研究。

基金项目:国家社会科学基金一般项目"中医中和观的哲学渊源与文化精神研究"(18BZX076);河南省哲学社会科学规划项目"基于《黄帝内经》中和观逻辑建构的中医文化特质探源研究"(2017BZX009);郑州中华之源与嵩山文明研究会"中华传统中文化研究"重大课题之子课题"《黄帝内经》中和观的思维路径与文化特质研究"(ZD-1-14)。

同时也是一定的社会生活使然"①。由此,当我们探讨特定社会与文化背景下人们主要的思维方式时,就不得不将目光投向产生它的那个年代,投向那时人们的文化境遇,探寻它与当时的社会历史文化的映照与联系。《黄帝内经》(包括《素问》与《灵枢》两部分,以下简称《内经》)是中国古代医家长期医疗实践和经验的概括与总结,由成书年代看,其理论形成的过程正是先秦诸子论辩、理论激荡、百家争鸣的过程,因此从认识的发生发展规律来说,无论是它的理论来源或是思想基础都无时无处不受中国传统文化形态的濡染与滋养,其思维方式也呈现出鲜明的"中国特征",这是其主要以推类方法阐述中国古代医学学说的内在根据。

一、先秦推类方法的内涵与特征

中国先秦时期建立在"取象""观物""察类"基础上的"由言事而论道"的"推类"法式,是中国古代社会特有的并广泛使用的一种思维方法。这种"取象比类""援类而推"的方法,从两种不同事物、现象在"类"属性或"类"事理上具有某种同一性或相似性出发,经过"假物取譬"、引喻察类的过程和论说者由"所然"进到"未然"的认知形式,描述、说明、论证或反驳一个思想的是非曲直,进而达到由此及彼、由言事而论道的推理和论说目的。

(一) 先秦推类方法的"象"范畴

"象"范畴是中国先秦传统思维最基本的范畴之一。何谓"象"?据《周易》阐述,象有两种含义:一是"见乃之象""天垂之象",即自然界表现出来的物象,人凭借感官可以直接把握到它们。"象,谓所见于外,可阅者也"(唐王冰《重广补注黄帝内经素问》)。二是"圣人象之""象其物宜",即对本然物象进行认识所获得的象,即卦象。"古者包牺氏之王天下也,仰则观象于天,俯则观法于地,观鸟兽之文与地之宜,近取诸身,远取诸物,于是始作八卦,以通神明之德,以类万物之情。"(《易传·系辞下》)可见,《周易》中的卦象是在观察客观事物的基础上的"取象"过程,而由"取象"形成的卦象又与所取之物并不等同,物生于象前,象源于物意。《说文解字》将"象"的本义解释为"象,长鼻牙,南越大兽"。在韩非子那里,"象"又具有了"意

---

① 张晓芒、董华:《从文化的视域看先秦推类法式的历史必然性》,《南开学报》2014年第3期。

想"的意蕴:"人稀见生象也,而得死象之骨,案其图以想其生也。古诸人之所以意想者,皆谓之象也。"(《韩非子·解老》)《易传》则又将"象"理解为事物之间的相似和文化符号:"象也者,像此者也""《易》者,象也"(《易传·系辞下》)。

可以说,在中国传统文化中,不论是自然界的山河日月还是社会的人事风情、人的气息脉搏,抑或代表万物本原的"道",都可谓之"象"。"象还具有特强的黏附力,从具体可感的物象到难于把握的玄微之象,组成一系列复合词,包含着形而下实体性存在到形而上超越性存在这无边领域的万事万物,既有感性成分,又有理性成分,既是实体范畴,又是关系范畴。足见象的指称对象之广,含义流变之繁。"①

在王夫之看来,"盈天下而皆象矣。《诗》之比兴,《书》之政事,《春秋》之名分,《礼》之仪,《乐》之律,莫非象也"(《周易外传》卷六),作为儒家经典的"六经"皆是因象明义的。"象"作为中国传统文化最基础、最源头的符号载体和思维素材,不仅成为中国传统思维须臾不可阙如的认识本体,也成为认识展开的元逻辑符号与基本范畴。由此引发的尚象思维在中国传统思维方式中占有较高的地位,在中国文化各领域中也得到了充分应用。"中国文化推重意象,即所谓'尚象',这是每个接受过这一文化熏染的人都不难赞同的事实。《周易》以'观象制器'的命题来解说中国文化的起源;中国文字以'象形'为基础推衍出自己的构字法;中医倡言'藏象'之学;天文历法讲'观象授时';中国美学以意象为中心范畴,将'意象具足'视为普遍的审美追求……意象,犹如一张巨网,笼括着中国文化的全幅领域。"②

张东荪在进行中西哲学比较时曾说:"西方人的哲学总是直问一物的背后;而中国人则只讲一个象与其他象之间的互相关系。例如一阳一阴一阖一辟。总之,西方人是直穿入的,而中国人是横牵连的……中国人的思想以为有象以及象与象之间有相关的变化就够了。"③这种重关系、"横牵连"式的形象思维反映着中国古代思维模式的逻辑本真。

由是观之,"'象'是中国传统文化建构与发展史中的重要概念,取象比类的逻

---

① 邢玉瑞:《〈黄帝内经〉理论与方法论》,陕西科学技术出版社2005年版,第195—196页。
② 汪裕雄:《意象探源》,人民出版社2013年版,第2页。
③ 张东荪:《知识与文化》,岳麓书社2011年版,第100—101页。

辑思维方法也是中国传统思维方式的源头基础"①,"这一判断从中国古代哲学源头《周易》及先秦诸子著作等古代典籍中不难得到证明"②。据此,各家各派将据象思维或取象思维作为基本的认识手段和逻辑工具,由此展开创造出极富中国特色的哲学与文化形态,形成了极具思维张力的各种学说体系。

(二)先秦推类方法的"类"范畴

"类"对于人类的逻辑思维来说,是一个最简单而又最复杂的范畴。一方面,它所揭示的科学原理是这样的浅显易明;另一方面,它所涉及的逻辑问题又极为精深复杂,使得从古至今几乎所有的逻辑学家都在不懈研究"类"的原理。我国古代"类"范畴的出现和确立,直接影响并决定着先秦逻辑思想的产生和形成过程。

从本义看,"类"最早也是一种"象"——一种作为祭品的兽。后来,这一概念逐步走向抽象性,成为分类、推类的元逻辑符号。如"类,种类相似,惟犬为甚"(《说文·犬部》);"类,象也"(《广雅·释诂四》),"类,似也"(《集韵·术韵》),从而赋予了其特定的事物集合的内涵。先秦墨家第一次将"类"确立为逻辑推论的基本范畴,系统阐明了"类"的逻辑意义,提出了"知类""察类"的思想,经后期墨家的发展和完善,"类"概念成为了形成概念、做出判断和进行推理的基础,创立了一个比较完整的逻辑思维体系。"夫辞,以故生,以理长,以类行也者……夫辞以类行也者,立辞而不明其类,则必困矣"(《墨经·大取》),"以类取,以类予"(《墨经·小取》),阐明了"类"在"故"与"理"形成中的基础性地位,成为整个逻辑推论的核心要素。

除墨家外,孟子从思维法则的角度将"类"予以了理论明确,指出"故凡同类者,举相似也"(《孟子·告子上》),强调了"类"概念的理论抽象性,使得是否具有共同属性成为划定同类与异类的基本依据。荀子则进一步认为"类"的本质特征在于同理,"类不悖,虽久同理"(《荀子·非相》),将"类"视为进行推论的逻辑根据,认为只要能做到"推类而不悖"(《荀子·正名》),就可以进行"以类行杂,以一行万"(《荀子·王制》)的逻辑推导而"求其统类",从而收到"以近知远,以一知万,以微

---

① 张晓芒:《中国古代逻辑方法论的源头——〈周易〉逻辑方法论探析》,《周易研究》2006年第5期。
② 张晓芒:《中国古代从类范畴到类法式的发展演进过程》,《逻辑学研究》2010年第1期。

知明"(《荀子·非相》)的逻辑功效。"《吕氏春秋》对推类有较为深入的研究,在对先秦推类思想的考察基础上提出了不少新见解,丰富和发展了推类理论。"①如对从已知推论未知的思维活动有了明确的认识;将"类同相召"的推类方法作为主要的推理方法;提出了"类固不必可推知也"的分析,并强调保证推类的可靠性的方法是"察",发展了先秦"类"的逻辑思想。

中国传统逻辑对"类"的高度重视和充分发挥,使得察类、知类、取类成为中国古代逻辑的基础。同时,"由于'类'联系着事物的'形'和'名',或者说'象'和概念两个方面,所以人类在对'类'的认识过程中,演化出两个认识和思维的方向:一是以'形'为起点,'拟诸其形容,象其物宜'(《易传·系辞上》),形成象形认知和意象思维方向;另一是以'名'为起点,'审名以定位,明分以辨类'(《韩非子·扬权》),形成言传认知和概念方向。这两个方向对立统一、相反相成,构成了丰富多彩、变化微妙的认知和思维活动"②。

不同的社会历史文化决定着不同的思维方式,而不同的思维方式又决定着不同的逻辑推理类型。中国先秦文化与哲学的鲜明特征是重"象"惜"类",并由此决定了中国逻辑有着不同于西方逻辑的文化内涵和推理类型。"先秦时期,在人们认识世界及社会的过程中,经过中国古代先人的认知实践及粗浅的理论概括,形成了建立在'类'概念基础之上的由'言事'而'言道'的推类思维方法。"③

(三)先秦推类方法的思维特征

所谓推类,就是基于"类"概念的援类而推的逻辑推理或推论方法。"它是按照两种不同事物、现象在'类'属性或'类'事理上具有某种同一性或相似性,因此可以由此达彼、由言事而论道的一种推理论说方式。这种方法的特质是建立在'类'概念基础之上的,其发展演变成为中国古代主导的推类'法式',是一个由兽名至祭名、善名、族类名、种类名、法式名的历史过程。"④这一"历史的过程"透射着推类是中国古代社会特有的并广泛使用的一种思维方法,先秦思想家对此多有论述。

---

① 温公颐、崔清田:《中国逻辑史教程》,南开大学出版社 2001 年版,第 148—149 页。
② 邢玉瑞:《黄帝内经理论与方法论》,陕西科学技术出版社 2005 年版,第 224 页。
③ 张晓芒:《古代意象性思维方式在造字过程中的规范作用》,《理论与现代化》2011 年第 2 期。
④ 张晓芒:《中国古代从类范畴到类法式的发展演进过程》,《逻辑学研究》2010 年第 1 期。

《周易》以阴、阳爻画为初始符号建立的中国第一个推理系统就采取了取象(卦象、爻象)类比和类推的思维方式。与孔子同列名家第一人的邓析十分强调论辩和谈说中以类为据的重要性:"故谈者,别殊类使不相害,序异端使不相乱,谕志通意非务相乖也。"(《邓析子·无厚》)

孔子最先从方法论的角度提出的"譬"以及"告往知来""举一反三"的命题及思维方法也属于推类的性质:"己欲立而立人,己欲达而达人。能近取譬,可谓仁之方也已"(《论语·雍也》);"告诸往而知来"(《论语·学而》),"子曰:'不愤不启,不悱不发。举一隅而不以三隅反,则不复也。'"(《论语·述而》)其中所包含的由已知推求未知的推理成分是比较明显的,而"近""譬"也都是以人之为一类的"性相近"继而可以相互比较,以承认类同为前提的,是一个"推己及人"的推类过程。汉代王充从方法论上对这一方法的特点进行了总结:"何以为辩,喻深以浅;何以为智,喻难以易。"(《论衡·自纪》)西晋鲁胜则从认识论上对其思维特征进行了总结:"取辩于一物而原极天下之污隆。"(《墨辩注叙》)在南朝刘勰看来,"取辩于一物"是个随机选择的思维过程,具有偶然的、临时的个人因素,"比之为义,取类不常:或喻于声,或方于貌,或拟于心,或譬于事"(《文心雕龙·比兴》),而"原极"的过程就是一个推导的过程,正合王充所言:"揆端推类,原始见终。"(《论衡·实知》)污犹降,隆犹高,以此喻指天下的兴废盛衰和论辩过程中的是非。鲁胜对"譬"式推类方法评价的过程也是一次"譬"式推类方法的使用[①]。

孟子对孔子"能近取譬"所包含的依类而推的思路和方法进行了继承和发展,提出了更为明晰的逻辑依据,即在阐述其伦理思想时确立了"类"概念,明确提出了"人之为类"的思想,以人我同类为依据"推己及人",符合推类的逻辑理路。

深受墨家影响的荀子对"类"与"推类"更为自觉,认为同一类别的事物总是有着相同的事理和变化规律,即所谓"物各从其类"(《荀子·劝学》),"类不悖,虽久同理"(《荀子·非相》),并由此提出了"以类度类"的明确的推类方法和"辨异不过,推类不悖,听则合文,辨则尽故"(《荀子·正名》)的推类基本原则,使得对于推类方法的认识继孔、孟之后达到了新的高度。

[①] 张晓芒、董华:《先秦推类方法的模式构造及有效性问题》,《逻辑学研究》2013年第4期。

墨家对推类推理进行了专门研究和全面总结,提出了比较系统的推类学说,不仅成就了"墨家逻辑",而且使推类成为中国古代的主导推理类型。如后期墨家在墨辩"立辞"和孔子"譬"式推类方法的基础上,又提出了"说":"以说出故。"(《墨经·小取》)"说"的实质与特点是:"闻所不知若所知,则两知之,说在告"(《墨经·经下》);"(闻)在外者所知也,在室者所不知也"。或曰:"在室者之色若是其色""是所不知若所知也……外,亲知也。室中,说知也"(《墨经·经说下》)。这种由已知到未知的"说"的过程,其所达到的"闻所不知若所知,则两知之"正是逻辑推理的特点。墨家的"说"其实就是推理的过程,可以直接表述为"推":"在诸其所然未然者,说在于是推之。"(《墨经·经下》)"在,察也。"(《尔雅·释诂》)"所然"指已经存在的事物情况,"未然"指尚未出现的事物情况。考察已知的事物情况与未知的事物情况,应当由已知的事物情况推知未知的事物情况。在这里,"推"与"说"是一致的。由于这个"推"与"说"的过程是"以类取,以类予"(《墨经·小取》),因此推类的工作机理必须需要一个逻辑根据的支撑,对此《墨经》认为是同类者必同法:"一法之相与也尽类,若方之相合也,说在方"(《墨经·经下》);"法同则观其同"(《墨经·经上》);"法取同"(《墨经·经说上》)。由此才可能"有以同,类同也"(《墨经·经说上》),才有了"大圆与小圆同""长人与短人同""同类之同""同名之同""同根之同"(《墨经·大取》)的众多同类相取、相推。此后荀子将这种同类相取、相推的原则根据总结为"类不悖,虽久同理"的命题[1]。墨家使得推类成为了一种形式与内容融贯的推理形式,也促使其成为了先秦推理的主导类型。

作为先秦主导推理类型的推类法式,其逻辑内涵与特征究竟是怎样的呢?对此,前辈学者进行了深入研究与解读。

沈有鼎先生20世纪60年代就结合墨家逻辑的研究,对"类推"问题进行了详细的考查,认为:"我们这里所说的类比推论和西方人或现代人常说的'这只是一个类比'不同。古代中国人对于类比推论的要求比较高,这是因为在古代人的日常生活中类比推论有着极广泛的应用。"[2]为此他认为,"类推"或"推类"是中华民族最

---

[1] 张晓芒、董华:《先秦推类方法的模式构造及有效性问题》,《逻辑学研究》2013年第4期。
[2] 沈有鼎:《墨经的逻辑学》,中国社会科学出版社1980年版,第42页。

为常用的一种推理形式,也是中国古代名辩学不同于西方逻辑和印度因明的最根本的特征①,并断言:"人类思维的逻辑规律和逻辑形式是没有民族性也没有阶级性的。但作为思维的直接现实的有声语言则虽没有阶级性,却是有民族性的。中国语言的特性制约着人类共同具有的逻辑规律和形式在中国语言中所取得的表现方式的特质,这又不可避免地影响到逻辑学在中国的发展,使其在表达方面具有一定的民族形式。"②

孙中原先生致力于中国逻辑史和墨家逻辑研究四十余年,对于中国逻辑的推论理论有着十分精到的解读和独到的见解。他将中国传统推论的范畴分为一级范畴和二级范畴两大类,指出:"标志中国传统推论整体性质的一级范畴,有'推'(广义)、'推类''类推''推理'和'推故'等。标志中国传统推论个别方式的二级范畴,有'止''譬''侔''援'和'推'(狭义)等";他还对《四库全书》《四部丛刊》进行全面检索和归纳分析,发现在这两部特大型丛书中,其"推类""类推""推理"三个词总计出现2278次,且通过对这两千多次的用例分析后认为其内涵一致互通,并由此指出:"'故、理、类'三者相连,'推故''推理'和'推类'三者互通。'故、理、类'三范畴的必然联系,决定'推故''推理'和'推类'三术语的互通一致。其中深层的逻辑哲学意蕴,值得仔细玩味、说明和发挥。"同时,他还对"推故""推理""推类"等中国传统推理类型的逻辑本质进行了厘定,指出:"中国传统推论的特质,是类比、归纳和演绎不同形式的综合论证与朴素结合。由于类比推论,可视为以个别事例为论据的简单归纳,归入归纳一类,所以,中国传统推论的特质,可简单概括为归纳和演绎的综合论证与朴素结合。"③

刘培育先生也曾强调,中国古代逻辑讨论"推类"或"类推"者很多,"推类"是一种内容相当宽泛的推理论证形式,并不等于逻辑学中的类比推理,类比推理只是其中的一种罢了。为此他区分了类比推理的两种类型④。

---

① 刘培育:《沈有鼎研究先秦名辩学的原则和方法》,《哲学研究》1997年第10期。
② 沈有鼎:《墨经的逻辑学》,中国社会科学出版社1980年版,第90页。
③ 孙中原:《中国逻辑学十讲》,中国人民大学出版社2014年版,第68—75页。
④ 刘培育:《类比推理的本质和类型》,《形式逻辑研究》(论文集),北京师范大学出版社1984年版,第258页。

董志铁先生认为,推类是一个由"言事"至"言道"的思维过程,这一个过程可以用一种模式结构表达,"其结构通常由言事与言道两个部分组成。言事与言道的关系是言事为言道服务,推类的最终目的是言道:证明或反驳他人"①,"言事与言道的核心是'喻'。其理论根据是所言事与道之间共同存在的'义'。找到事与道之间共同的'义',便可以'扶义而动,推理而行',由'事'理过渡到'道'理"。②

崔清田先生也曾通过对墨家逻辑和亚里士多德逻辑的比较研究,认为:"由于社会和文化条件的差异而形成的不同逻辑有其特殊性。这种特殊性的表现之一是,不同逻辑中居于主导地位的推理类型不同。推类,是墨家逻辑中主导的推理类型;三段论,是亚里士多德逻辑中主导的推理类型。"③

"推类"作为中国先秦的主导推理类型,体现了前述沈有鼎先生所断言的特征。它建立在汉语注重意会性思维的语言学基础上,总是从事物的相似、相类的前提出发来展开关联性的联想、思考与推论,它更加注重经验事实,却无须考虑其逻辑的必然性或一般公理化的方法,其核心是强调"求善""求治"的政治、伦理和文化的内在需要而从不追求"形式上"的完美。

先秦推类模式是在中国传统文化土壤中生长出来的,是先秦文化整体特征与要求影响的产物,其不论内涵还是形式都必然地体现了中国人的思维特点。一如胡适先生所说,先秦逻辑思想虽然不注重形式,"却能把推论的一切根本观念,如'故'的观念、'法'的观念、'类'的观念、'辩'的方法都说得很明白透彻,有学理的基本,却没有法式的累赘"④。

二、《内经》的推类方法与应用

在中国先秦哲学和思维方式的影响下,《内经》理论建构总是首先着眼于各种各样的"象",将这种思维模式中的"象"看作最基本的逻辑范畴,通过"取象比类"

---

① 董志铁:《言道、言事与援类、引譬》,《信阳师范学院学报》2003年第2期。
② 董志铁:《扶义而动,推理而行》,载周山主编:《中国传统思维方法研究》,学林出版社2010年版,第50页。
③ 崔清田:《墨家逻辑与亚里士多德逻辑比较研究》,人民出版社2004年版,第97页。
④ 胡适:《中国哲学史大纲》(卷上),商务印书馆1987年版,第224—225页。

"援物比类"等思维模式将其与人体的形体官窍、生理病理功能联系起来,由此发现并建立起它们之间的各种具有确定性的联系,并从这一相互联系、相生相克的整体出发,对人体"生长壮老已"的自然规律和疾病的预测、发现、诊断、治疗、预后以及预防和养生等进行深入探讨,由此构建起独具特色的医学理论学说。

(一)《内经》的"象"系统与取象思维

在《内经》中,"象"作为思维的基本范畴和逻辑工具,也显示出丰富的形态与内涵。既有基于对自然界的观察的物象,如天地、阴阳、四时、五畜、五谷、五味及人体的五色之象,又有基于对人体观察的脏腑气血之象,如阴阳、虚实、盛衰等;既有个别的、感性的表象,如风、寒、暑、湿、燥、火等六淫之象,又有能动的、理性的意象,如水、火、木、金、土五行之象;既有反映事物本体的客观之象,如喜、怒、忧、思、悲、恐、惊等七情五志之象,又有反映主体思维的主观之象,如"心主血脉"等五脏藏象,从而建立了人体与自然界密切关联、相互映照的庞大的"象"系统。

藏象学说就是以五行之象为摹本建立在各种象的基础上的理论成果。张介宾在《类经》中解释说:"象,形象也。藏居于内,形见于外,故曰藏象。"(《类经·藏象类》)在这里,既有人体的五脏、五官、五体、五声、五志、病变之象,也有自然界的五行、五方、气候、五味、五色、五音之象;既有五脏形见于外的不同征象,又有五脏藏居于内的各自不同的功能之象。如对"心"藏象的论述:"南方生热,热生火,火生苦,苦生心,心生血,血生脾,心主舌。其在天为热,在地为火,在体为脉,在脏为心,在色为赤,在音为徵,在声为笑,在变动为忧,在窍为舌,在味为苦,在志为喜。喜伤心,恐胜喜;热伤气,寒胜热;苦伤气,咸胜苦。"(《素问·阴阳应象大论》)肝、脾、肺、肾亦然。既有关于脏腑的生理功能以及五脏、六腑、奇恒之腑等各自的生理特点的象,如用中国古代的官制君主、相傅、将军、中正、臣使、仓廪、传道、受盛、作强、决渎、州都等十二官建构的人的心、肺、肝、胆、膻中、脾胃、大肠、小肠、肾、三焦、膀胱等十二脏腑的生理功能之象,还有借用自然界夏、秋、冬、春四季的气候、物候之象建构的五脏的生理功能与特点之象;此外还有人体气、血、津液之象,并基于此提出了人体"经脉流行不止,环周不休"(《素问·举痛论》)的气血循环理论。

《内经》还依据其阴阳理论建构了人体的阴阳之象。"夫言人之阴阳,则外为阳,内为阴。言人身之阴阳,则背为阳,腹为阴。言人身之脏腑中阴阳,则脏者为阴,腑者为阳。"(《素问·金匮真言论》)不仅为脏腑阴阳理论的建立奠定了基础,而且为说明人体构造,解释生理、病理变化和进行诊断、治疗提供了理论基础。

此外,通过观察发现人在不同的季节会出现不同的脉象,是由于人体气血对春、夏、秋、冬气候变化所做出的自发的适应性反应,从而将人的脉象区分为春弦、夏洪、秋毛、冬石等不同的象。

基于这样的"象"系统,《内经》建构了自己的取象思维模式。取象思维主要以直接经验为基础,它是在经由观察获得的直接经验的基础上,通过比类、推演、象征、联想等方法,体悟、揭示事物的普遍联系、内在本质的一种思维方式。在《内经》中,取象思维的具体方式主要包括三个方面。

一是取物象思维。借用自然界常见的事物形象以"观象明理"。如借用水火、阴阳柔刚之象说明人体阴阳特征;借用江河日月之象说明人体气血运行状况与规律等。这种思维是符合中国传统思维定式的,正所谓"天行健,君子以自强不息""地势坤,君子以厚德载物"(《易传·象传》),以天之刚健、地之柔顺来说明天体生生不息的运行规律和君子的德行修养。它如"知者乐水,仁者乐山;知者动,仁者静;知者乐,仁者寿"(《论语·雍也》),亦通此理。如《内经》常以水火之象说明人体的生理病理现象,如"火为阳",其象炎上,主生发;"水为阴",其象沉静,主闭藏,就是通过物象进行说理的实例,表达了人们由物生象、据象达义的主观感受。

二是取意象思维。"易者,象也。象也者,像也"(《易传·系辞下》),"立象以尽意,设卦以尽情伪"(《易传·系辞上》),意指借用卦象、爻象、太极阴阳之象、五行功能之象以"据象明理"。如认为"阴阳者,不以数推,以象之谓也"(《素问·五运行大论》),此时的象表达的既是对于事物动态形象的概括,又是对于事物特定功能和动作方式的言说,还是对于作为"天地之道,万物之纲纪"的阴阳范畴的意象表述。又如五行,"木得金而伐,火得水而灭,土得木而达,金得火而缺,水得土而绝。万物尽然,不可胜竭"(《素问·宝命全形论》)。这里的五行,已不再是五种物质材料,而是表达五种功能属性的象征性意象或形象化符号。这种通过形象性的概念和符号来理解对象世界的抽象意义的意象思维活动为通过外在直观认识内在联系的推类法式提供了逻辑前提。

三是取数思维,即取象运数思维。这是取具有抽象意义的易数推演事物运动变化规律的方法。在《内经》中,主要是取阴阳卦爻数、天干地支数、五行生成数与九宫数(即河图洛书)来推类五脏应四时五行的规律。如用五、六、七、八、九说明"五脏应四时,各有收受"(《素问·金匮真言论》)的整体联系;以"太过者其数成,不及者其数生,土常以生也"(《素问·六元正纪大论》)以及数的生克胜复之理阐释五运六气的常变规律。又如《素问》"运气七篇"用干支数通过取数比类推测六十年气候变化规律及其与人体疾病的关联性;又以"女七男八"(《素问·上古天真论》)的阴阳进退之数推类人体发育和生殖基数。这种运数方法所依托的根据其实也是一种象,其本质也是取象思维。

在思维发生、发展的历史中,取象思维是人类最本原的一种思维,同时也是一种极富创造性的思维。在这一思维过程中,思维主体是凭借对事物的各种外在表现的敏锐观察,以及既往的经验、知识,甚至思维主体自身的人格情感等因素,仰观俯察,旁征博引,将天下万物统一于思维之中,借助直觉体悟,揭示事物的内在本质的。因此,这种思维的突出特点是:高度重视思维主体的自身体验;始终关注思维对象的整体关系和动态平衡;富于创新思维的想象力和模糊性。这种极富想象力和创造力的整体思维模式,对中国古代的科学、文化、生活、艺术等各个领域都产生了重要的影响,形成了不同于西方文化的基于问题的发现、提问和回答的独特方式。

在医学领域,受古代历史条件尤其是科技条件的限制,当着还没有形成一个有效的手段使人们能够直接观察、认识人体的内部结构及其变化机制的时候,《内经》的医家们基于"有诸内必形诸于外"的原则,通过取象思维,对他们在医学实践中的观察和感悟进行由此推彼、触类旁通的思维体验,从而发现和发明了一系列的生理病理规律和诊疗方法,不断丰富着他们的医学理论。

(二)《内经》的"类"系统与比类思维

《内经》常将以类相推的方法称作"比"或"比类",往往含有比较和推类的双重含义。关于"比"的论说异常之多,而就"比类"来说,又有"取象比类""援物比类""别异比类""比类奇恒"等多种说法。从逻辑方法上看,都属于中国传统的"推类",没有本质上的差别。"取象比类""援物比类"都是将两种性质相同或相近的事物进行比较,从而找出一定规律的推理方法,这是人们推求新知的重要思维方法,"是《内经》应用最广泛的一种逻辑方法,它对于《内经》理论体系的形成起了十分重要的作用"①。

如《内经》指出:"五脏之象,可以类推"(《素问·五脏生成》),"夫圣人之治病,循法守度,援物比类,化之冥冥"(《素问·示从容论》),将这种方法提高到了法度和原则的理论层面。

在提示如何诊断和治疗疾病时,也多次强调了只有应用引物比类的方法才能从容辨析脏气脉证的道理。"汝受术诵书者,若能览观杂学,及于比类,通合道理……子务明之,可以十全""别异比类,犹未能以十全,又安足以明之""脉浮而弦,切之石坚,不知其解,复问所以三脏者,以知其比类也""不引比类,是知不明也……以子知之,故不告子,明引比类从容,是以名曰诊轻,是谓至道也"(《素问·示从容论》)。

在论述治疗疾病的四个误区时,《内经》提出"不适贫富贵贱之居,坐之薄厚,形之寒温,不适饮食之宜,不别人之勇怯,不知比类,足以自乱,不足以自明"(《素问·征四失论》),充分说明了比类的重要性。

在论述医生诊治上的五种过失时,《内经》也强调了比类的重要性。提出"不闻五过与四德,比类形名,虚引其经,心无所对",所以医生在对病人进行诊断时,"善为脉者,必以比类、奇恒,从容知之,为工而不知道,此诊之不足贵",比类已经成为了"为工之道",即作为医生应该遵循的最高法则。又:"圣人之治病也,必知天地阴阳,四时经纪,五脏六腑,雌雄表里……上经下经,揆度阴阳,奇恒五中,决以明堂,审于始终,可以横行。"(《素问·疏五过论》)由此阐明了只有重视比类,揆度奇恒,才能将天时、人事、脏象、脉色等密切结合,达到全面认识和诊治疾病的目的。

由以上论述可以看出,《内经》已经将比类当成圣度、至道,当作为医者必须掌握的一门学问,可见这种方法是多么重要。

由此,《内经》以"类"范畴为指导,通过大量的比较和分析,建立了自己的分类方法,从而对研究对象进行理论区分,并在此基础上认识和把握人体生理病理的本质与规律。如对阴阳、四时、五行、十二经脉的分类等。可以说,比类思维在《内经》

---

① 李匡武主编:《中国逻辑史》(先秦卷),甘肃人民出版社1989年版,第377—378页。

理论建构中发挥着重要作用。一方面,通过分类,使复杂、羼乱的医学现象系统化、条理化,形成了具有指导意义的理论体系。另一方面,通过这些分类系统的构建,使得人体内部各部分内在的规律性联系更加简明和直观,提升了对于人体生理病理存在与变化发展规律的认识水平。

《内经》的这种"取象比类""援物比类"的分类系统,与现代分类学的分类方法不同,它不是对分类对象按照其性质直接进行分类,而是将其比类于一种已经存在的并已为人们广泛认可的分类系统而进行的分类。这种分类方法尽管没有"直入事物的背后",但是由于其反映了人体内部与外界自然环境的某些规律性联系,因而具有一定的科学预见性,成为人们寻找或认识人体生命规律和诊断治疗疾病的方法论依据。诚然,《内经》的分类方法主要是通过直观、形象的比类进行的,由于思维水平的限制,还是偏重于现象和事物的表象,有时还具有一定的主观色彩,需要在研究中谨慎地加以分析和辨别。

(三)《内经》的推类方法与应用

《内经》在构建医学理论的过程中,承袭了先秦推类的思维法则,从气、阴阳、五行等概念出发,运用取象比类、援物比类、比类归纳等推类法则推论出一个个相互独立又彼此联结的学说与理论系统,开辟了推类逻辑方法有效应用于医学理论的先河,并基于其建立的"象"系统和"类"系统,建构起"取象推理"和"比类推理"两种法式,成为其解说和论证医理的两个最基本的思维工具,并得到了普遍应用。

如《内经》指出:"脉之小、大、滑、涩、浮、沉,可以指别;五脏之象,可以类推。"(《素问·五脏生成》)这里所说的"指别""类推"就含有判断和推理的意义。又如"夫圣人之治病,循法守度,援物比类,化之冥冥"(《素问·示从容论》),明确地将"援物比类"作为推理的基本方法,并将这种方法提高到了法度和原则的理论层面。在提示如何诊断和治疗疾病时,也多次强调了应用"引物比类"的重要性,所谓"及于比类,通合道理……可以十全""别异比类,犹未能以十全,又安足以明之""不引比类,是知不明也……明引比类从容,是以名曰诊轻[1],是谓至道也。"(《素问·示从容论》)"善为脉者,必以比类、奇恒,从容知之,为工而不知道,此诊之不足贵。"将

---

[1] 此处的"轻",《太素》《类经》《素问吴注》均作"经"。

取象比类的方法上升到"为工之道"的高度,成为医生辨病别证应该遵循的最高法则。

"譬"式推理在《内经》中也有所体现。如"是故圣人不治已病治未病,不治已乱治未乱,此之谓也。夫病已成而后药之,乱已成而后治之,譬犹渴而穿井,斗而铸兵,不亦晚乎?"(《素问·四气调神大论》)用临渴时才想起挖井,临打仗时才想起铸造兵器的形象比喻来推类防治疾病应未雨绸缪,"防患于未然"的重要性,引申出"治未病"的预防医学思想。

此外,《内经》在语言形式方面也经常使用这种以"……者,……之官也,……出焉"的推类形式,如"心者,君主之官,神明出焉"(《素问·灵兰秘典论》),寥寥数语,使得心主血脉的地位与功能特征一目了然。这些皆可看作是《内经》取象比类的推类方法的基本法式。

如前所述,《内经》建立了庞大的"象"和"类"的"数据库",作为其进行推理和论证的思维素材和准则。如藏象学说就是以五行之象为摹本建立在各种象的基础上的理论成果,其中建构了各种"象",如五脏、五官、五体、五声、五志、五变(病变之象)、五行、五方、六气(六淫之象)、五味、五色、五音等。如用中国古代的官制推类十二脏腑的生理功能;依据阴阳理论建构人体的阴阳之象;依据春、夏、秋、冬气候变化建构的人体脉象;等等。

取象比类的逻辑方法在《内经》中的应用最为广泛,可以说在《内经》的理论建构中,处处体现着取象比类的逻辑思维形式和推类方式。如气、阴阳、五行理论建构以及论述病因、病机、病证、治则、养生理论时都大量使用了此种方法。

《内经》将人体五脏六腑与形体官窍、气血运行、精神情志等生理心理活动以及天地之四时五行等自然物象联系了起来,通过对诸多"象"的分析、归纳和推类,建构了人体藏象系统。

如借用中国古代官制对"心"的生理功能及特点进行了推类认知。"心者,君主之官也,神明出焉……"(《素问·灵兰秘典论》)。这种把心比作君主之官,强调了心对人体生命运动和养生的重要意义。此种推类照应了中国古代学术思想的共同观念,如孔子说"七十而从心所欲,不逾矩"(《论语·为政》);孟子说"心之官则思"(《孟子·告子上》),"尽心、知性、知天";荀子讲"心知",认为"心者,形之君也,而神明之主也"(《荀子·解蔽》);明代陆九渊讲"吾心即宇宙";王守仁讲"心者,天地万物之主也"(《答季明德书》),将"心"字升华为具有哲学意义的范畴,影响了整个中国哲学史及现代思维。甚至可以说,这种把心脏视为主宰人的一切活动的中心器官的观念,为自古以来心脏死亡标准的形成及确立奠定了坚实的文化基础。而这种观念在《内经》中也很具有代表性和普遍性,为研究生命过程的机制与规律奠定了理论基础。

《内经》对形神、天人整体观的论述也体现了推类方法。关于形神观,有学者认为:"《内经》从物质和运动、机体和生命功能、人体和精神这三层关系上展开它的形神理论,这三层关系,由一般到特殊到个别,一层比一层具体,一层为一层做理论论证。在这里,《内经》以原始的朴素形态表现出由抽象到具体,由普遍到特殊,由整体到局部的逻辑思维的某些特点。"[①]这些"逻辑思维的某些特点"其实在很大程度上反映的就是取象比类的思维模式。关于天人观,《内经》以"四经应四时,十二从应十二月,十二月应十二脉"(《素问·阴阳别论》),并根据九州之中有东南西北四海推论人体也有四海(《灵枢·海论》)。此外,"在经络学说中,《黄帝内经》也运用了取象比类来建构和阐释其理论,其中很多论述都是从天人合一的类比推理而来"[②]。

由上,《内经》理论建构总是首先着眼于各种各样的"象",并以此与人体的形体官窍、生理病理功能进行比类和比应,通过推类建立起它们之间的各种具有确定性的联系。从这一相互联系、相生相克的整体出发,对人体"生长壮老已"的自然规律和疾病的预测、发现、诊断、治疗、预后以及预防和养生等进行了深入探讨,形成了独具特色的传统医学理论。这种从事物整体的、动态的形象出发,通过取象比类来认识人体及其形体器官的功能、结构和关系的观察、体悟和研究方法,成为中医学认识世界和人体生命特征的主要手段,并由此延展了中医阴阳五行等比较系统的理论架构。

---

① 刘长林:《内经的哲学和中医学的方法》,科学出版社1982年版,第120页。
② 邢玉瑞:《黄帝内经理论与方法论》,陕西科学技术出版社2005年版,第211页。

三、《内经》推类方法的逻辑特征

由以上分析不难看出，《内经》的推类方法有着自己的逻辑特征。有学者将其概括为使人产生形象联想的具象性、表现在范畴内容上的对立统一、形式上的相互呼应的对偶性和以公理叠加的方式对结论或然性予以修补的自圆性[1]。这其实就是创造性思维的逻辑特质。它强调事物与事物之间在"理"上的相通、在某一些点上的类同，并据此进行推类，由此达到由"象"到"类"，由"类"到"故""事""理"的沟通。在古代生产力和科学技术水平低下的语境中，这一方法作为认识世界的工具为人们理解和认知天地人之玄妙多彩的渴望打开了一扇智慧之门。

一是将形态各异、丰富多彩又具有某些内在联系的"象"作为其进行比较、分析、判断、归纳和推理的逻辑起点，通过比喻、象征、联想、比较、推类等方法求其统类，由外及里，由象及类，由已知推及未知，从而对事物的共同特性进行描述，以此达到对万事万物共同本质或功能的认识。《内经》由"象"而推知并建构了阴阳、五行等思维模型，并据此进行推类，使看似风马牛不相及的乱象成为了具有确定性和有规律的东西，从而生发出具有说理功能或实际应用功能的学说体系。

二是通过推类，由已知事物之象的属性、功能推测出未知的属性、功能，或由彼事物已知的属性、功能推测出此事物未知的属性、功能，由此达到对事物本质或功能属性的接近真理的认识和动态描述。同时，在取象比类逻辑思维的过程中，不断进行着形象思维与抽象思维、直接思维与间接思维、归纳方法与演绎方法的逻辑转换，在对世界万物的反复摹写中对事物本身的认识水平渐次提升，最终形成了比较系统且具有确定性的思维和认识成果。随着理论研究的逐步展开，《内经》推类方法的逻辑内涵与特征将不断得以深化。

三是《内经》的推类思维方法与"推理"的逻辑已然具备了较高的洽适性，它作为《内经》建构理论的一种判断形式，已然因语义解释与语用运作的统一具备了推理的内涵。因为"在具有先秦传统的知识论中，作为一种得到辩护的真实信念的'知识'，以'S知道P，当且仅当：（1）P是真的；（2）S相信P；（3）S的这一信念得到

---

[1] 刘邦凡：《论逻辑推类与中国古代医学》，《医学与哲学》2008年第8期。

辩护',不断复制、放大,成为了一种百家争鸣中的公共知识……并使在传播过程中所概况出来的'推类'法式,成为一种舒适、自然、方便的具体的由言事而论道的思维推导方式"[1]。

正如黑格尔所说:"类推可说是理性的本能","类推可能很肤浅,也可能很深彻"[2]。《内经》推类方法尽管没有走向"推理的一般"的形式化道路,但是由于其推理的有效性以及所蕴含的思维智慧和人文情怀,使得其在中华历史文明的发展进程中经久不衰,历久弥新,支撑并活跃着中国人的思维世界。

随着中西逻辑比较研究的发展,不少学者从逻辑的共同性和特殊性出发,采取"中西相互观照"的方法,将古代推类方法与传统的类比推理进行比较,对二者的联系与区别的分析,有助于更好地理解其逻辑特征与思维内涵,从而尽可能地避免将表面的相似来机械地加以比较而草率得出结论的"机械类比",提高其推理结论的有效性和可靠性,使之更加完善,也有助于进一步加深对中国古代主导推理类型——推类的逻辑形式与内涵的认识和把握,从而进一步加深对中国优秀传统文化的理解与观照。

Logical Presentation and Construction of Analogy in *The Yellow Emperor's Classic of Internal Medicine*

SUN Kexing

(School of Marxism, Henan University of Chinese Medicine, Zhengzhou, Henan, 450046)

Abstract: Any scientific way of thinking is the product of specific social history and political culture of a certain era, and also the cognitive process and formal expression of people's mode of production and living conditions reflected in

---

[1] 张晓芒、董华、关兴丽:《先秦推类方法的模式构造及有效性问题》,《逻辑学研究》2013年第4期。

[2] [德]黑格尔:《小逻辑》,贺麟译,商务印书馆1980年版,第368—369页。

their brains. As the dominant type of reasoning in ancient Chinese logic, the method of analogy in pre-Qin days (usually referring to the Spring and Autumn Period and the Warring States Period) had an important influence on Chinese traditional culture and thought. *The Yellow Emperor's Classic of Internal Medicine* was a systematic summary of the long-term medical practice and experiences of ancient Chinese doctors, which laid the foundation for the theoretical system of TCM. From the time of its completion, the formation of its theory was just the process of debates, theoretical agitation, and contention of a hundred schools of thought in the pre-Qin days. Therefore, in terms of the law of occurrence and development of cognition, its theoretical origin and ideological basis were both constantly influenced and nurtured by the traditional Chinese culture, and its mode of thinking also presented a distinctive "Chinese characteristics". That's why *The Yellow Emperor's Classic of Internal Medicine* became the internal basis for understanding life and interpreting medicine mainly by analogy.

Key words: *The Yellow Emperor's Classic of Internal Medicine* ; TCM; Chinese logic; analogy

从中医文化的核心价值论儒家仁学的崇高境界

贾成祥

（河南中医药大学，河南　郑州　450046）

摘　要：中国传统文化与中医药学之间存在着双向互动关系，中医药学是打开中华文明宝库的钥匙。通过对中医文化核心价值的探讨，追溯其文化渊源，探求中医药学与传统文化的相互融通，提出以儒家仁学为代表的中华文化的核心价值、终极目标和崇高境界是"生生"，其中所蕴含的浓郁的生态文明意识将为现代社会建设和整个人类文明的发展提供有益的智力支持，说明以儒家仁学为代表的中华文化是没有成为过去而且是属于未来的先进文化。

关键词：中医文化；核心价值；儒家仁学；生生之道

中国传统文化与中医药学之间存在着双向互动关系：中国传统文化是中医药学赖以形成的文化基础，中医药学是蕴含着中国传统文化灵魂的生命科学。2010年6月20日，时任国家副主席的习近平同志出席澳大利亚皇家墨尔本理工学院中医孔子学院揭牌仪式时，指出："中医药学凝聚着深邃的哲学智慧和中华民族几千年的健康养生理念及其实践经验，是中国古代科学的瑰宝，也是打开中华文明宝库的钥匙。"[①]中医药学既然是打开中华文明宝库的钥匙，就必然与中华文明宝库的肩

作者简介：贾成祥（1962—　），男，河南淅川人，河南中医药大学教授，硕士生导师，主要从事中国传统文化与中医学研究。
基金项目：国家社会科学基金项目"中医中和观的哲学渊源与文化精神研究"（18BZX076）阶段性成果。
　　　　　河南省中医管理局中医药文化与管理项目"中医文化核心价值及其人文精神的深层研究"（TCM2019008）阶段性成果。

① 《习近平：中医孔子学院将有助于澳民众了解中国文化》，中国网，2010年6月21日。

键相匹配。因此,唯有探求中医药学与传统文化的相互融通,两者相得益彰,才能充分显现其中的意蕴、内涵和精髓。

一、中医文化的核心价值

中医文化的核心价值是近年来学界讨论非常热烈的话题,然而依然没有取得统一的认识。如,张其成先生把中医文化的核心价值归纳为"仁、和、精、诚"[①],张宗明先生把中医文化的核心价值概括为"人本、中和、自然"[②],郑晓红博士把中医文化的核心价值总结为"道法自然、精诚仁和、心身共养、药取天然"[③],此外还有多种说法。拙文《中医文化的核心价值及其渊源》通过中医分析生命的起源、生命的过程、疾病的产生、治疗的方法、用药的原则,把中医文化的核心价值定义为"构建中和的生命环境"[④]。在诸多学术观点中,不难发现一个共同的概念——"和",足以说明大家在这一点上取得了一致的看法。然而,随着思考和研究的深入,笔者开始有了对自己学术观点的反思、否定和超越,认为"中和"不是中医文化的核心价值,而是中医文化的核心理念。因为,"理念"是思想观念,是思维逻辑和思维路径的体现,而"价值"是存在的本质,关系到存在与发展的意义。中医对生命本质、生命起源、生命过程、疾病产生的认知及由此确立的治疗方法和用药原则,只能体现中医的思想观念是"中和",是中医药学思维逻辑和思维路径的体现。而这一思想观念的目的和意义才是中医文化的核心价值。史伯说:"夫和实生物,同则不继。"(《国语·郑语》)《中庸》也非常清楚地指出:"致中和,天地位焉,万物育焉。"(《中庸》第一章)由此可见,"和"是"生物"和"天地位焉""万物育焉"的基础和条件,"生物"与"天地位焉""万物育焉"是"和"的结果和意义。由此,我们有必要对中医文化的核心价值作进一步的研究和探讨。

《左传·召公元年》记载医和为晋平公诊病论及社稷君臣,《国语·晋语八》同样记载了这一历史事件,其中,文子曰:"医及国家乎?"对曰:"上医医国,其次疾人,

---

[①] 张其成:《论中医药文化核心价值"仁和精诚"的凝练》,《中国医学伦理学》2018 年第 10 期。
[②] 张宗明:《论中医文化基因的结构与功能》,《自然辩证法研究》2015 年第 12 期。
[③] 郑晓红:《中医文化的核心价值观初探》,《中医杂志》2014 年第 15 期。
[④] 贾成祥:《中医文化的核心价值及其渊源》,《南京中医药大学学报(社会科学版)》2013 年第 4 期。

固医官也。"此后,逐渐演绎出了许多说法,唐代药王孙思邈说医有三品:"上医医国,中医医人,下医医病。"(《备急千金要方·诊候》)这可以说是古代医生的三种境界。再联系到此后的一些说法和中医确有的高妙,笔者认为中医有四种境界:下医医病,中医医人,上医医国,至医赞天。至医赞天即医之最高境界是赞天化育,就是帮助天地造化生成万物。从此可见儒医的价值追求和志士情怀,再进一步概括出中医药文化的核心价值,这就是"生生"。"生生"包括两个层次:一是使生命生存,解决的是生命生存的问题;二是使生命繁衍,解决的是生命发展的问题。终极目标是使生命繁衍不息,孳育不绝,代代相传,永无止期,以至无穷。

（一）使生命生存

救死扶伤,保护生命,使生命得以存活,而且活得健康,活得幸福,活得精彩。像刘禹锡《鉴药》中所说"有方士,沦迹于医,厉者造焉而美肥,辄者造焉而善驰";像扁鹊隔垣见人,起死回生,医术高超,随俗为变;像华佗精通针药,施用精当,期决死生,刮骨疗毒,同病异治;像朱丹溪辨证精准,治病求本,曲径通幽,把医术做成艺术,挽救了无数病人甚至是濒死的病人的生命。中医药学从养生防病到治未病,从诊治疾病到使用方药,其中包含着许多技术和方法,这些方法和技术就是"生生之术",正是《汉书·艺文志》所谓"生生之具"。这是众所周知的事实,无须赘言。

（二）使生命繁衍

使生命存活是繁衍生命的必要条件,但不是繁衍生命的充分条件。要想使生命繁衍不息,还需要社会环境和自然生态等诸多的条件。篇幅所限,这里只讲自然生态问题。

人与自然的关系,是中国传统文化关注的一个基本问题,古人称之为天人关系。从人类文明之始直至今日,人类从未停止过对天人关系的思考与探索。司马迁将其《史记》定位在"究天人之际,通古今之变,成一家之言"(《汉书·司马迁传》)。《庄子·知北游》说:"人之生,气之聚也;聚则为生,散则为死……故曰:通天下一气耳。"气是人和万物共享的赖以生成和存在的基础,也是人和万物互通的中介,人和万物共享和互通的就是这一团气。这一团气是一切生命之源,反过来又依赖所有生命体的气的正常运行来维护。人和万物之中任何一个个体有病而出现戾气都会对宇宙的这一团气造成污染,带来危害。明代医家杨继洲《针灸大成》卷三《诸家得失策》指出:"一元之气流行于天地之间,一阖一辟,往来不穷,行而为阴阳,布而为五行,流而为四时,而万物由之以化生。"天人关系也是这样,天为人之所本,人为天之所至。天地万物本为一体,相互联系,相互依存。杨继洲《针灸大成》卷三:"天地之道,阴阳而已矣;夫人之身,亦阴阳而已矣。阴阳者,造化之枢纽,人类之根柢也。惟阴阳得其理则气和,气和则形亦以之和矣。如其拂而戾焉,则赞助调摄之功自不容已矣。否则,在造化不能为天地立心,而化工以之而息;在夫人不能为生民立命,而何以臻寿考无疆之休哉?此固圣人赞化育之一端也,何可以医家者流而小之邪?"

生活在六合之内、天地之间的万物,是一个命运共同体,就如同冬天里拥挤的公交车里的乘客,彼此可以感受到对方呼出的气息;就如同聚集在一个房间里的人群,房间里的空气在每个人的口鼻中出入。天地之间有鸡、鸭、鹅、牛、马、羊、猪、狗、人,如果鸡、鸭、鹅三天两头搞个什么禽流感,如果牛、马、羊隔三差五搞个什么口蹄疫,那么天地之间的这一团气就会被搞得乌烟瘴气、乌七八糟,那么置身其中的人就难免有病。换言之,如果天地之间的人这个群体有了病,也会反过来影响到天地之气,也会给其他万物带来伤害,更有甚者,会使得天地这个造物主受到伤害因此而停息了它造化万物的功能。所以,医家、医学为人治病的意义不仅仅是保护人体的健康,而且是通过对人体之气的调理使之和顺进而帮助天地造物主发挥其造化生成万物之功,这就是所谓的"至医赞天""赞天化育"。唯有赞天化育,万物方能生生不息。正是因为中医的境界追求立足高远,所以这样的医学应当成为全人类医学发展的最高境界和理想目标。中医文化既有"生生之具",又有"生生之道",从术到道,生生不息的核心价值一以贯之。

二、儒家仁学的崇高境界

"仁"是以孔子为代表的儒学思想的核心,正如著名学者张岂之先生所说,儒学即仁学,仁是人的发现。而"仁"又是一个内涵非常广泛的道德概念,孔子从未给以固定的定义,总是针对不同弟子的询问做出有针对性的巧妙回答。有人统计说"仁"在《论语》中出现达109次,如:"樊迟问仁。子曰:'爱人。'"(《论语·颜渊》,以下引《论语》,只注篇名)孔子答子贡问仁曰:"夫仁者,己欲立而立人,己欲达而达人。能近取譬,可谓仁之方也已。"(《雍也》)"颜渊问仁,子曰:'克己复礼为仁。一日克己复礼,天下归仁焉。为仁由己,而由人乎哉?'"(《颜渊》)"子张问仁于孔子,孔子曰:'能行五者(恭、宽、信、敏、惠)于天下为仁矣。'"(《阳货》)"问仁。曰:'先难而后获,可谓仁矣。'"(《雍也》)"子曰:'刚毅木讷,近仁。'"(《子路》)"子曰:'巧言令色,鲜矣仁!'""有子曰:'孝弟也者,其为仁之本与!'"(《学而》)除《论语》外,儒家其他经典亦记载着孔子对"仁"的相关论述,如《礼记·中庸》记载:"子曰:'仁者,人也。亲亲为大。'"由此可见,"仁"的含义非常之广,基本上涵盖了所有的美德。可以说,任何一种美德都属于"仁"的范畴,所有美德的总和构成了"仁"的全部内涵。孔子把"仁"作为最高的道德原则、道德标准和道德境界,形成了以"仁"为核心的伦理思想体系,所以说孔子是集道德规范于一体,创立人类社会道德规范体系的第一人。

在所有的美德中,《周易·系辞下》说:"天地之大德曰生。"天地自然的最大恩德是化育生成万物,使万物生生不息,所以清代学者戴震以"生生之德"解释"仁",说:"仁者,生生之德也。"(《孟子字义疏正·仁义礼智》)所以《周易·系辞上》说:"生生之谓易。"说明《周易》的精髓在于论述"生生之道"。首先,《周易》之"易"的命意意味深长。《说文·易》:"日月为易,象日月也。"《周易·系辞下》说:"日往则月来,月往则日来,日月相推而明生焉。"《尚书大传·虞夏传》说:"日月光华,旦复旦兮。"程颐说:"易,变易也,随时变易以从道也。"章太炎说:"变易之义,最为《易》之确诂。"这些都深刻地诠释了阴阳变化、矛盾运动、日新月异、旦复旦兮、生生不息的易学文化和儒家仁学的精神。其次,六十四卦顺序的排列非常耐人寻味。始于乾坤,这是阴阳之根本,众卦之父母,万物之祖宗,易经之门户;终于既济、未济,郭沫若谓之"完了还没有完"。孔颖达《周易正义》说,《易》六十四卦分上经和下经,上经三十,阴阳之本始,万物之祖宗;下经三十四,男女之始,夫妇之道也。而无论阴阳与男女,均以"生生"为第一要义。其三,乾卦的卦辞爻辞也充分体现了生生不息的思想。《周易·乾卦》开宗明义,其卦爻辞无不体现出"生生"之意蕴。《乾卦》的卦辞"元、亨、利、贞",《周易·易传·乾文言》谓之"乾之四德",或云朝昼夕夜,或云东南西北,或云春夏秋冬,或云生长收藏,实际上都揭示了循环往复、周而复始、永无穷期的生生之理。《乾卦·用九》:"见群龙无首吉。""群龙无首"就是指乾卦中六个阳爻所代表的刚健精神永无尽头，永无穷期，永无休止。

"仁"不仅是一切美德的总和，而且还被喻为生命的种子，如杏仁、桃仁、核桃仁、瓜子仁等。果实的核心、生命的种子被称为"仁"，孔子以"仁"作为儒家的最高道德，其间的关联以及含义之深刻实在是耐人寻味而不得不感叹孔子的智慧。"生生"是中医药文化和整个中国传统文化所担负的责任和追求的价值，"生生之谓易""生生之谓道""生生之谓仁"，《礼记·乐记》说："大乐与天地同和，大礼与天地同节。"人为的礼乐道德规范是与天地自然现象相融通的，或者说礼乐道德规范是受天地自然现象的启发和从天地自然的规律中探寻出来的，所以《周易·系辞下》说："易之为书也，广大悉备，有天道焉，有人道焉，有地道焉。"而且说："古者包犧氏之王天下也，仰则观象于天，俯则观法于地，观鸟兽之文，与地之宜，近取诸身，远取诸物，于是始作八卦，以通神明之德，以类万物之情。"就是说伏羲是在深入探求了天地万物与人的相似性和相关性以后才"作八卦"的。一部《周易》，其根本的宗旨是劝人"进德修业"，阴阳及由此形成的各卦都是其用以说理的工具，总的特点是"推天道以明人事"(《四库全书总目提要·易类》)。

儒家仁学的终极目标和崇高境界是生生不息。基于这一终极目标和崇高境界的追求，儒家提出了一系列的思想主张。《论语》记载，孔子曰："大哉，尧之为君也！巍巍乎，唯天为大，唯尧则之。"(《泰伯》)孔子对尧效法天道的行为和思想给以充分的肯定和很高的赞誉，体现了孔子关于天人关系的思想认识，而且孔子自述"五十而知天命"(《为政》)，强调"不知命，无以为君子"(《尧曰》)。不仅要"知天命"，而且要"畏天命""敬天命"。亚圣孟子说："尽其心者，知其性也。知其性，则知天矣。存其心，养其性，所以事天也。"(《孟子·尽心上》)孟子提出"尽心""知性""知天"。董仲舒《春秋繁露·深察名号》则清楚地提出"天人之际，合而为一""天有阴阳，人亦有阴阳……以类合之，天人一也"。宋明理学家张载在《正蒙》中指出："儒者则因明致诚，因诚致明，故天人合一。"随着儒家思想的发展，天人合一的观念不断得以强化。

在天人合一思想形成的过程中，儒家的仁学思想也从"仁者爱人"发展到"仁民爱物""民胞物与"。从"亲亲"到"爱人"，从"爱人"到"仁民"，从"仁民"到"爱物"，这是儒家仁学发展的心路历程。儒家的仁爱从孔子的"己所不欲，勿施于人""己欲立而立人,己欲达而达人"发展到孟子的"老吾老以及人之老,幼吾幼以及人之幼",再到孟子的"恩,足以及禽兽"(《孟子·梁惠王上》),董仲舒《春秋繁露·仁义法》指出:"质于爱民,以下至于鸟兽昆虫莫不爱。不爱,奚足谓仁?"为什么要"爱物""恩及禽兽"?因为它们和人类是一个整体,是一个命运共同体。《论语·述而》记载:"子钓而不纲,弋不射宿。"反映了古人恩及禽兽的理念和取用资源时所怀有的珍爱之心,深层次潜藏的是生态观念。《孔子家语·弟子行》记载,孔子曰:"启蛰不杀,则顺人道;方长不折,则恕仁也。"孟子指出:"不违农时,谷不可胜食也;数罟不入洿池,鱼鳖不可胜食也;斧斤以时入山林,材木不可胜用也""鸡豚狗彘之畜,无失其时,七十者可以食肉矣。百亩之田,勿夺其时,数口之家,可以无饥矣"。(《孟子·梁惠王上》)其中,一直强调的是"不违农时""以时""无失其时""勿夺其时",体现了对自然规律的尊重和遵循。只有如此,万物才能生生不息,才能"不可胜用"。《吕氏春秋·功名》说:"水泉深则鱼鳖归之,树木盛则飞鸟归之,庶草茂则禽兽归之,人主贤则豪杰归之。故圣王不务归之者,而务其所以归。"所有这一切取之以时、用之有度的思想都清晰地表现出生态观念。而生态观念的终极目标和崇高价值仍然是生生不息。

儒家仁学思想的境界是非常崇高的,正因为如此,1988年1月,在巴黎召开的主题为"面向二十一世纪"的第一届诺贝尔奖获得者国际大会发表了著名的《巴黎宣言》,指出:"人类要在21世纪生存下去,必须回首2500年前,从孔子那里汲取智慧。"其中所谓的孔子智慧应该就是这种"生生"的核心价值,这足以说明以儒家为代表的中华文化并没有过时而是属于未来的先进文化。然而,儒家仁学思想崇高境界的实现是以诚信为基础的,《中庸》第二十章说:"诚者,天之道也。诚之者,人之道也。"《中庸》第二十二章说:"唯天下至诚为能尽其性。能尽其性,则能尽人之性。能尽人之性,则能尽物之性。能尽物之性,则可以赞天地之化育。可以赞天地之化育,则可以与天地参矣。"《中庸》第三十二章说:"唯天下至诚,方能经纶天下之大经,立天下之大本,知天地之化育。夫焉有所倚?"如果离开了"诚"则万事不可能成。

On the Noble State of Confucian Benevolence from the Core Values of Traditional Chinese Medicine Culture

JIA Chengxiang

(Henan University of Chinese Medicine, Zhengzhou, Henan, 450046)

Abstract: There is a two-way interaction between traditional Chinese culture and traditional Chinese medicine. Traditional Chinese medicine is a key to the treasure of Chinese civilization. Through exploration of the core values and origin of Chinese medicine culture, and of interaction between Chinese medicine and traditional Chinese culture, this essay proposes the core values, ultimate goal and noble state of "circle of life" of Chinese culture represented by Confucian Benevolence. The strong consciousness of ecological civilization in it will provide helpful intellectual support for the construction of modern society and the development of human civilization, which indicates traditional Chinese culture represented by Confucian Benevolence is an advanced culture that is not outdated, but belongs to the future.

Key words: traditional Chinese medicine culture; core values; Confucian Benevolence; the way of circle life